LE JEU DE LA FEUILLÉE

Littérature du Moyen Age
dans la même collection

Adam de LA HALLE, *Le jeu de Robin et de Marion.*

Aucassin et Nicolette (texte original et français moderne).

La Farce de Maître Pierre Pathelin (texte original et français moderne).

Farces du Moyen Age (texte original et français moderne).

DE LORRIS-DE MEUN, *Le Roman de la Rose* (texte original).

Le Roman de Renart (2 volumes, texte original et français moderne).

VILLEHARDOUIN, *La Conquête de Constantinople* (texte original).

VILLON, *Œuvres poétiques.*

VORAGINE, *La légende dorée* (2 volumes, texte en français moderne).

RUTEBEUF, *Le miracle de Théophile* (texte original et français moderne).

ADAM DE LA HALLE

LE JEU DE LA FEUILLÉE

Texte établi et traduit,
introduction, notes,
bibliographie et chronologie
par
Jean DUFOURNET
professeur à la Sorbonne

GF
FLAMMARION

ISBN 2-08-070520-2

INTRODUCTION

« Le visage n'a pas encore trouvé sa face. »

(Antonin Artaud.)

« Il sculpte des prisons, des hommes enchaînés, mais lui-même rit en eux comme s'ils faisaient partie d'un jeu. »

(Anaïs Nin.)

Quand *Le Jeu de la Feuillée* est représenté le 3 juin 1276 sous le patronage d'une célèbre association, la Carité Notre-Dame des jongleurs et des bourgeois d'Arras [1], l'œuvre d'Adam de la Halle, déjà abondante, comprend de multiples chansons, des motets, des rondeaux, des strophes sur la Mort, un *Dit d'Amour,* une chanson de geste inachevée, *Le Roi de Sicile,* et surtout des œuvres plus importantes, comme les jeux partis, les *Congés* et *Le Jeu de Robin et Marion* [2], sans oublier qu'Adam de la Halle fut aussi l'un des plus grands musiciens du Moyen Age [3].

Toutefois, il a fallu attendre 1956 pour qu'on commence à voir dans cette pièce, grâce à Alfred Adler [4], autre chose qu'une simple revue d'étudiants qui auraient repris, sur le mode comique et satirique, les grands débats soutenus dans l'année sur la religion, la politique et les belles-lettres, autre chose qu'une œuvre assez maladroite comme le pensait Joseph Bédier [5].

Il suffit de s'interroger sur le titre pour en pressentir la complexité. Titre double : c'est *li jus Adan*, qui évoque aussi bien l'auteur que le personnage, et *li jus de le fuellie*. Or le mot de feuillée — dans le manuscrit, *fuellie*, qui pouvait recouvrir une forme du mot *folie* — désigne le rameau de verdure qui servait d'enseigne aux tavernes, la loge de feuillage construite pour les fées selon la coutume du cycle de mai et celle qui abritait la châsse de Notre-Dame, la *foillie* des pastourelles à l'ombre de laquelle le chevalier tente de séduire la bergère, et sans doute aussi les feuillets du livre que rêve d'écrire Adam de la Halle. Ainsi *Le Jeu de la Feuillée* apparaît-il à la fois comme un jeu de la taverne, une fête de la folie, l'expression littéraire d'une sorte de carnaval et la somme d'une longue expérience d'écrivain.

Le nom même du poète, qui lui aussi est double, nous incite à la méfiance : Adam de la Halle, qui se faisait appeler Adam d'Arras selon *Le Jeu du Pèlerin* est nommé Adam le Bossu. Etait-ce un surnom hérité, ou le devait-il à son esprit subtil, les bossus passant pour fourbes ? Plus tard, Villon traitera les policiers d'*anges bossus* dans une de ses ballades en argot.

I. LE JEU DE LA TAVERNE

La feuillée, appelée aussi dans le nord de la France *chercle* (cercle) *a buissons, chercle de vert bois,* était un rameau de verdure en forme de buisson. Etait-ce l'héritage d' « une antique coutume romaine qui avait consisté à accrocher à la porte des débits de boissons une branche de lierre, en thyrse ou en couronne, comme les attributs de Bacchus et des bacchantes [6] » ? En tout cas, cet usage est rappelé par des proverbes (*Good wine needs no bush, El bueno vino no ha menester ramo*) et par un arrêt du 21 mars 1424 porté à Arras contre ceux qui « vendaient à leur domicile du vin, de la bière et d'autres boissons sans enseignes, cercles et feuillées, *absque intersignis, circulis et foliis* [7] ». En intitulant sa pièce *Le Jeu de la Feuillée*, Adam de la Halle la plaçait dans la filiation du *Jeu de saint Nicolas* (vers 1200) de l'Arrageois Jean Bodel qui avait dressé, face au palais du roi sarrasin, une taverne bien arrageoise encore que située en terre païenne, et de la pièce *Courtois d'Arras* qui met en scène la parabole de l'Enfant prodigue.

Adam a repris des détails de *Courtois d'Arras*[8], comme l'affrontement du père et du fils, ou l'origine campagnarde de certains personnages, Dame Douce et le *dervé* (le fou). Courtois, qualifié de *foubiert* (insensé) et de sot par Leket, affublé de la massue du porcher et mangeant des « pois en cosse », est le premier crayon des sots qu'Adam fait défiler dans *Le Jeu de la Feuillée*, tandis que la fille légère Pourette est devenue Dame Douce, vieille prostituée, *vieille reparee*, et sorcière, acoquinée avec les fées pour se venger. Quand le *dervé* se plaint qu'on urine sur lui, n'est-ce pas le rappel d'une scène de *Courtois d'Arras ?* Enfin, au long de cette dernière pièce, il est question de *se connaître*, de *se reconnaître*, l'auteur jouant sur le sens de ces verbes qui signifient « se retrouver soi-même », « se repentir », « retrouver sa raison ». Or c'est le thème central du *Jeu de la Feuillée* où Adam affirme : *S'est drois que je me reconnoisse* (vers 171).

Mais c'est *Le Jeu de saint Nicolas*[9] qui a joué le rôle d'hypotexte. Adam de la Halle a multiplié les reprises pour inviter à des comparaisons qui permettront de mesurer son originalité et de déceler ses intentions.

Certains vers ou expressions viennent tout droit de la pièce de Bodel. Si Rasoir dans *Le Jeu de saint Nicolas* s'écrie : *Nous somes compaignon tout troi* (vers 719), l'aubergiste de la *Feuillée* affirme : *Nous sommes d'une compaignie* (vers 947[10]). Ailleurs, Adam a joué sur des rimes de son prédécesseur, recherchant la prouesse technique[11]. Il reprend, au début de sa pièce (vers 1-12), les quatrains d'alexandrins monorimes que Bodel avait utilisés à trois reprises[12] et qu'ensuite, l'auteur de *Courtois d'Arras* avait employés pour exprimer les regrets de son héros[13]. Adam, pour parler de son désir de retourner à la vie d'étudiant, adopte, dans son prologue, les couplets des écrivains moralistes, attirant ainsi l'attention sur le caractère sérieux de sa pièce, sur la gravité de sa décision, sur sa sincérité.

D'autres reprises sont des clins d'œil aux auditeurs d'Arras. Le gnome barbu Croquesot, qui sert d'intermédiaire dans *Le Jeu de la Feuillée* entre le monde des fées et Arras, prend la relève d'Auberon, le *courlieu* (courrier) de Jean Bodel, qui boit à la taverne avant de porter le message de son roi aux émirs sarrasins. Le petit crieur du *Jeu de saint Nicolas,* Raoulet ou Raoul, a pris du galon : il est devenu le tavernier de la *Feuillée,* dénommé Raoul le Waisdier (vers 882) et, par deux fois (vers 904, 928), Raoulet. Adam, le clerc à la cape, qui attire dès le premier vers l'attention sur son nouveau costume, rappelle le voleur Cliquet de Bodel, contraint de laisser sa cape en gage aux mains de l'aubergiste : n'est-ce pas le sort qui attend Adam s'il reste à Arras ? Il semble qu'il y soit condamné, malgré ses velléités. Enfin, où le moine se rend-il quand il quitte la scène, à l'extrême fin du *Jeu de la Feuillée ?* A l'église Saint-Nicolas.

Adam de la Halle reprend à son prédécesseur, outre le cadre nocturne de la pièce, les thèmes de la tromperie, de la fraude [14] et de la dispute [15]. Il se contente d'allusions pour les scènes très connues que Jean Bodel avait marquées de son génie, parties de dés [16], additions de l'aubergiste [17], éloge du vin [18].

La subversion de certains termes est subtile. *Baron,* appliqué par Bodel aux vassaux les plus importants et à saint Nicolas, désigne dans *Le Jeu de la Feuillée* de pauvres maris. Le prince n'est plus que le ridicule *prince du puy* [19] que se flatte d'être le dervé. L'aubergiste s'approprie la formule du crieur Connart, *Je faç le ban le roy d'Aufrike* (vers 227) « Je convoque le ban du roi d'Afrique », quand il ordonne à Guillot : *Le ban fai que t'ostes le poe* (vers 935) « Je t'intime l'ordre d'ôter la patte ». Enfin, le mot de *preudome,* qui désigne un saint homme dans le jeu de Bodel, d'une foi inébranlable en Dieu et en saint Nicolas, est appliqué à maître Henri[20], clerc bigame, égoïste, avare, ivrogne et goinfre, hypocrite enfermé dans le monde de l'argent.

Nous assistons à un renouvellement profond du modèle. Il s'agit maintenant d'un monde sans miracle. Bodel visait à exalter la puissance de saint Nicolas qui, agissant sur les voleurs, restituant et augmentant le trésor du roi, sauve le *preudome* et convertit les païens. Au contraire, les reliques, peut-être fausses, de saint Acaire sont inefficaces dans la *Feuillée :* le dervé, de plus en plus violent, fait fuir tout le monde et oblige son père à le frapper. D'ailleurs, derrière le nom d'Acaire, se lit le verbe *aquerre* « acquérir », qui dénonce la cupidité du moine.

C'est aussi un monde déchu sans morale ni conversion, alors que Courtois d'Arras échappait à la taverne et retrouvait le chemin de la vertu. Le prêcheur pieux du prologue du *Jeu de saint Nicolas* pénètre dans la pièce d'Adam sous les traits du moine dont le portrait ne cesse de se dégrader. D'autre part, notre auteur établit une sorte de continuité entre les trois voleurs de Bodel, peut-être des clercs vagants, et les trois amis du poète de la *Feuillée*. A la suite de son modèle, Adam joue sur les noms de ses personnages. Ce sont, au départ, des Arrageois bien réels, mais leurs noms ont été choisis en fonction de leurs possibilités sémantiques : Guillot le Petit incarne la ruse, la *guile*, et la petitesse, Hane le Mercier la bêtise et la lubricité de l'âne ainsi que l'esprit mercantile ; Richesse Aurri, par le redoublement (*auri* est le génitif d'*aurum* « or »), apparaît tout cousu d'or, obnubilé par l'argent. Ces trois bourgeois d'Arras acquièrent, par la resémantisation de leur nom, une nouvelle personnalité, voire une certaine épaisseur psychologique. Tout en étant les porte-parole du poète, et même ses doubles, ils énoncent les jugements des Arrageois sur Adam ; ils jouent, enfin, un rôle dans sa déchéance.

Dans les trois pièces, la taverne occupe une place importante ; mais *Le Jeu de saint Nicolas,* dont le début et la fin se situent à la cour du roi d'Afrique, commence par une croisade et finit par une conversion, et, d'autre part, les premières et dernières scènes de *Courtois d'Arras* se passent à la campagne dans la maison du père, où le fils repenti finit par revenir. Au contraire, dans *Le Jeu de la Feuillée*, les premières scènes se déroulent sur une place d'Arras, où les acteurs assistent à la féerie (vers 590-875) ; mais, après la dégradation de la féerie en sorcellerie, tout le monde se retrouve à la taverne où la pièce s'achève dans des discussions et des plaisirs sordides, dans une débâcle générale. Bien plus, si Guillot, en partant, propose d'aller baiser la châsse de Notre-Dame et de faire brûler un cierge, si le moine se rend à Saint-Nicolas, il n'est plus question de *Te Deum laudamus*, comme dans *Le Jeu de saint Nicolas*, dans *Courtois d'Arras* et *Le Miracle de Théophile*. *Le Jeu de la Feuillée* présente donc la vision la plus sombre : le monde s'y confond avec la taverne, dépouillée de ses joies et de ses richesses ; le mal, la fraude, la violence, la folie et le désespoir ont fini par triompher.

II. LE JEU DE LA FOLIE

La taverne est le lieu de la folie qui occupe dans la pièce une place privilégiée, symbolisée par les reliques de saint Acaire et par plusieurs personnages.

La folie a été au Moyen Age l'objet d'une observation attentive[21] qui amena à distinguer plusieurs types : les fous furieux qu'on enfermait, les possédés qu'on exorcisait, les mélancoliques qui, victimes d'humeurs mauvaises, relevaient autant du prêtre que du médecin. Les fous pouvaient passer pour des sortes d'inspirés qu'on consultait à l'occasion, et qui bénéficiaient d'attentions particulières, de subventions, de dons : comme la vie sociale ne les avaient pas dénaturés, ils étaient traversés d'illuminations qui leur permettaient de deviner la vérité, de poser les vrais problèmes. Mais tout aussi bien on les battait comme dans le roman de *Robert le Diable*. On jetait sur eux par moquerie toutes sortes d'objets, de la boue, des excréments ; on les chassait, on les confiait à des marins et à des marchands pour en débarrasser les villes et les envoyer en des lieux de pèlerinage ; on les soumettait à des exils de type rituel, on les poursuivait à coups de verge, on les enfermait aux portes des villes, on les regroupait sur des nefs qu'on abandonnait aux flots.

Adam de la Halle, de ce point de vue aussi, a été un pionnier, puisque la folie prendra à la fin du Moyen Age la relève de la mort dans le théâtre et la peinture. Elle apparaîtra comme la libération de la bête et d'un savoir redoutable qui prédit le règne de Satan et la fin du monde ; c'est l'avènement d'une nuit où s'engloutit la vieille raison.

Le Jeu de la Feuillée atteste cette importance de la folie par le titre même et par le retour du mot *pois* (moyen de guérir la folie et symbole de celle-ci), employé quatre fois avec une subtile diversité : *pois pilés, pois baiens, Pilepois, croquepois*[22]. Le dervé, le fou furieux, a le dernier mot : il contraint tous les autres acteurs à partir, les buveurs de la taverne, le moine avec ses reliques, le père désespérant de la guérison de son fils. La déraison triomphe, les personnages lâchent la bride à une verve folle, à une bouffonnerie exubérante et satirique qui se donne libre cours dans la consultation médicale, dans les disputes du cabaret, dans le tour joué au moine.

Malgré son goût de l'ellipse, Adam présente plusieurs variétés de *sots*. Ce terme générique désigne aussi bien la folie violente du dervé que tous les défauts de caractère et d'intelligence : au vers 588, l'expression *sos et sotes* inclut non seulement les personnages qu'on adresse à saint Acaire pour guérir un dérangement mental, mais aussi les débauchés, les avares, les gloutons...

Dans les scènes qui se jouent autour des reliques, la cohorte des sots proprement dits est étoffée. Le premier à se présenter est Walet, dont le nom, qui rappelle le *vaslet* « le jeune homme », était porté par un Arrageois : dans le *Nécrologe* d'Arras, on trouve, pour 1283, un *Pois Pilés Valés*. Maître Henri et Riquier introduisent cet original qui joue de sa folie et la manifeste en demandant une grande quantité de pois pilés, en qualifiant saint Acaire d'*étron divin* (vers 342), en appelant ses interlocuteurs *biaus niés*, en donnant au saint un fromage (*à fol fromage*, dit le proverbe) qu'il l'invite à manger sur-le-champ, en révélant enfin son idéal : être aussi bon ménestrel et vielleur que son père et, pour ce, accepter qu'on le pende ou lui coupe la tête.

Le défilé se poursuit avec trois autres cas de dérèglement mental : Colart de Bailleul et Heuvin, d'innocents rêveurs, vont à la chasse aux papillons[23] ; Wautier-à-le-Main, hypernerveux, se met en colère dès qu'on lui rappelle son surnom de *Vitulus* « le veau[24] » ; le neurasthénique Jean le Queux en veut à tout le monde, et il est de nouveau contraint de s'aliter[25].

Le plus important de ces sots est le dervé qui occupe cent quarante-trois vers sur les onze cents de la pièce. Selon son père, il ne cesse de délirer, de chanter et de crier (vers 525), inconscient de ce qu'il fait ou dit, tout emplumé dans son édredon. Il revient à trois reprises sur la scène, souvent grossier dans une pièce plutôt discrète, jamais en repos et toujours grimaçant. Il hoche la tête et s'agite (vers 582), jette une pomme en l'air, aboie, coasse, beugle, imite les trompettes, chante ou hurle ; il saute sur son père, le prenant pour une vache qu'il veut rendre pleine (vers 418-419), il distribue des coups de poing à la manière du jongleur Hesselin ou des preux chevaliers Anséis et Marsile (vers 536-538). Tout en se plaignant d'être battu, il frappe son père (vers 349-351). Il boit dans les verres des consommateurs et fait des bruits incongrus (vers 1090). Faut-il y voir la circulation des souffles qui, selon Claude Gaignebet[26], est au cœur du Carnaval ? Il joue toutes sortes de personnages dont il contrefait la démarche et la voix : roi, crapaud qui ne mange que des grenouilles (vers 395-399), prince du puy, pape, jongleur et paladin, jeune marié (vers 1093). Nous atteignons là le comique subtil du geste parodique.

L'identification au crapaud mérite d'être relevée, car c'est un animal maléfique et diabolique qu'utilisaient les sorciers : le témoignage de la sculpture est clair. La bestialité transparaît derrière la violence : le fou traite son père de fils à putain, de bougre de voleur (vers 392), de canaille prouvée, de grand ribaud ; il jure *par la mort de Dieu*.

Des paroles qu'on prononce, il ne retient à l'ordinaire que la dernière syllabe. De là des malentendus qui ont la même vertu que le dialogue de sourds, et qui manifestent la peur et l'agressivité d'un être obsédé par la mort que les autres peuvent lui infliger ou qu'il peut leur donner [27].

Père et fils s'injurient, échangent des coups. Le père menace son fils ; désespéré, il lui souhaite d'être mort et enterré, d'être maudit de Dieu [28] ; il finit par le frapper [29].

Grâce à des œuvres romanesques (les *Folies Tristan*, *Robert le Diable*, *Ipomédon*...) et à des proverbes, on peut représenter sur la scène ce fou authentique, médicalement anormal [30], avec ses attributs distinctifs, la barbe, la tête tondue, le fromage, la massue.

Mais ce fou n'est pas seulement comique ; par son entremise, l'auteur aborde les problèmes les plus délicats : religion et pouvoir des reliques, devoirs du clerc, poésie officielle et traditionnelle.

Eu égard au développement des ordres religieux au XIIIe siècle, il n'est pas étonnant qu'Adam de la Halle ait mis en scène un moine porteur des reliques de saint Acaire que possédait l'église de Haspres et auxquelles on recourut encore selon Froissart pour le roi Charles VI. Les différentes scènes font éclater l'hypocrisie du bon père, qui commence par un sermon patelin et plein d'onction [31], truffé de termes désuets et de périphrases, répétant les mots *saint* et *miracle :* Acaire, plus efficace que tous les saints d'Irlande, guérit toutes les formes de la déraison, les débiles profonds et les fous furieux, à condition qu'on lui donne quelques pièces. Très rapidement, on est fixé sur la puissance des reliques et sur la sincérité du religieux, puisque le dervé continue à manifester sa démence, et le moine conseille au père de remmener son fils en constatant : « Aussi ne fait-il que des diableries » (vers 544-551). Les reliques sont aussi inefficaces ou fausses que celles du *Roman de Renart*.

Confronté à la féerie qui est une survivance du paganisme, le religieux accepte de céder la place aux fées, mais demande d'assister à la scène [32]. Il sombre bientôt dans le sommeil. Ainsi ne participe-t-il pas à une superstition condamnée par l'Eglise ; mais tout autant il se montre incapable de faire un effort qui l'arracherait à une vie mesquine. Ce motif du sommeil, symbole de léthargie intellectuelle et morale, se retrouve dans le nom du prince du puy, Robert Sommeillon, mais il concerne surtout le moine qui, après avoir accepté d'aller à la taverne, s'y endort de nouveau, et les autres en profitent pour lui imputer une dette de jeu. Il se tait ou s'endort toutes les fois qu'un problème délicat est abordé.

Pour payer sa dette, plutôt que d'abandonner son froc [33], il laisse à l'aubergiste ses reliques [34], et tous de trouver qu'elles sont en d'aussi bonnes mains. Il devient grossier et violent, il emploie le verbe *conchier*, et sa colère éclate quand il voit revenir le fou : plus de périphrase pour désigner le diable [35]. Il reproche au père du fou de ramener son fils, bien que lui-même le lui ait recommandé [36]. Loin de plaindre le malheureux que menace la mendicité, il l'accable. Il maudit l'aubergiste et sa taverne, et s'en va, car il ne gagne plus d'argent.

Peu à peu, il est devenu l'incarnation des vices majeurs, comme les frères mendiants que Rutebeuf stigmatise à la même époque ; il est, de surcroît, le trompeur trompé dont on se moque.

Le poète, par la bouche du dervé, s'en prend aussi au nouveau prince du puy, aux futurs lauréats, habiles surtout au jeu de dés, aux jongleurs dont la déclamation se réduit à quelques coups de poing. Le fou se moque aussi des prétentions d'Adam lui-même qu'il accuse de bigamie et d'orgueil, et qu'il compare à un *pois baiens*, un pois gonflé d'eau, à demi-cuit : Adam, enveloppé dans sa cape de clerc, masque une folie profonde sous une apparence de sagesse et de science. Si c'est l'auteur lui-même qui se met en scène sous les traits d'Adam, faut-il voir dans ces propos une amère autocritique, ou cherche-t-il à ridiculiser les critiques des Arrageois en les plaçant dans la bouche du fou ?

Le poète a tissé tout un réseau d'analogies entre le dervé et les autres personnages. Tous poussent des cris d'animaux et des jurons. Le fou est qualifié de glouton, Guillot d'*enfrun* « vorace », maître Henri et ses concitoyens sont malades de trop s'emplir la bedaine. Le dervé parle de s'accoupler avec la vache de son père, de la *faire prains;* Riquier est accusé d'avoir engrossé dame Douce; Adam redoute que Maroie ne tombe enceinte. Le dément et les compagnons chantent, les fées accordent à Adam d'être un bon faiseur de chansons. Dans les mêmes termes, Guillot offre une poire au médecin, *Tenés et mengiés ceste poire*, et le père donne une pomme à son fils, *Tenés, mengiés dont cheste pume*.

Ces analogies sont surtout fréquentes entre Adam et le fou, trop fréquentes pour n'être dues qu'au hasard. Si Adam rêve de partir pour Paris, le démon répond à son père qui lui tend une pomme : *Vous i mentés, ch'est une plume. Alés, ele est ore a Paris* (vers 1043-1044). Dans le prologue, le poète dit de lui-même : *Encore pert il bien as tés queus li pos fu* « On voit encore aux tessons ce que fut le pot » ; le père du fou se plaint que son fils lui *a bien brisiet deus chens pos*. Adam est l'époux de Maroie, le dervé s'en va en criant : *Alons, je sui li espousés*. Hane reproche au poète d'avoir *muavle kief*, la tête changeante; le père montre son fils : *Eswardés k'il hoche le kief. Ses cors n'est onques a repos* « Regardez-le secouer la tête : son corps n'est jamais en repos. »

Nous retrouvons, dans les deux cas, la relation père-fils. Les deux pères ont en commun de se plaindre de ne rien posséder. Mais celui d'Adam, s'il ne bat pas son fils, est décrit sous de noires couleurs : égoïste, il n'aide pas le poète, et il l'enferme dans la vie arrageoise en l'emmenant à la taverne. Le père du fou, en revanche, s'efforce d'obtenir la guérison du malheureux dont il supporte longtemps les excentricités ; il ne se met en colère que devant ses gestes obscènes ; il cède enfin, de désespoir, à la violence verbale et physique. Les répliques du dervé et de son père révèlent les sentiments de maître Henri et d'Adam, les rapports des hommes entre eux.

Ce jeu d'analogies s'étend même au sot Walet, lié à Adam par la relation au père [37], par l'allusion aux pois, par leur jeunesse, par leur prétention à l'art : Walet se veut aussi bon ménestrel que son père, comme le dervé s'égale au prince du puy et au jongleur Hesselin.

A la fin de la pièce, Adam se tait, laissant la parole au dément. On peut alors se demander si Adam, ou le poète qu'il met en scène, ne redoute pas de devenir véritablement fou s'il reste à Arras. Commençant par la triste débauche des Arrageois, il continuera par des excentricités à la façon de Walet et finira par le délire, l'agressivité et la bestialité du dervé dans un monde sans espoir. C'est aussi une manière de se décrire, à demi-mot, à un moment décisif : il redoute la méchanceté et le mépris d'autrui ; il se sent tenté par la violence et l'injure, de plus en plus incapable de comprendre autrui, soucieux de biens spirituels que seul Paris peut donner : la pomme n'est qu'une plume, symbole des fausses nourritures. La série *querre santé* et *querre mon pain*, la rime de *pain* et *fain*, la mention de la pomme nous amènent à discerner une quête du savoir dans cette œuvre où la faim dont on souffre est une faim spirituelle qui ne sera rassasiée que par le pain de la connaissance ou de l'Eucharistie, et à qui l'on offre la pomme de toutes les tentations [38].

Le dervé paraît être la face nocturne d'Adam, qui l'attire et lui fait horreur. Quand le poète répond au vers 431 : *Point n'aconte a cose qu'il die* « Je n'accorde aucun crédit aux propos qu'il tient », cette précaution oratoire traduit aussi l'effort dramatique d'Adam pour ne plus entendre une voix qui peut devenir la sienne.

Par un dernier retournement, le désespoir du père du fou correspond à celui d'Adam qui, comme le dervé, repart avec son père pour retrouver les liens du mariage. Tout a échoué, la médecine, la religion, la féerie. Saint Léonard ne délivre plus les prisonniers, saint Acaire ne guérit pas les fous.

III. LE JEU DE LA FÊTE CARNAVALESQUE

La folie est un des traits de la fête carnavalesque. Elle imprègne toute la pièce dont la fin est une parodie légère du jeu liturgique, des cérémonies et des chants religieux : la taverne fait fonction d'église, l'aubergiste de prêtre, le vin d'eau bénite ; une chanson courtoise, braillée à pleine gorge, remplace cantiques et psaumes. L'aubergiste affirme même que, du moment qu'il possède les reliques, il peut prêcher : c'est l'habit qui fait le moine.

Quand on constate que le tavernier demande à Hane et à Adam de *recaner*, de braire comme des ânes, et qu'Hane invite le public à faire le veau (vers 376), on devine que *Le Jeu de la Feuillée*, au confluent d'héritages populaires et littéraires, dérive de fêtes comme celles des fous et de l'âne. Le dervé se plaint qu'on urine sur lui : n'est-ce pas un rappel de la projection d'excréments, si importante dans les charivaris ? *Le Jeu de la Feuillée* est un écho de cette seconde vie du peuple, de cette rénovation et de cette renaissance temporaires, « temps des sans-temps, fête des sans-fêtes… instauration du royaume d'enfance », qui suspendait le rythme de la vie quotidienne prisonnière d'un système d'interdits. Notre pièce participe de ce droit à la liberté et à l'immunité, en dehors de tout tabou, de ce regard neuf sur les choses, comme certaines fêtes qui « vont, par nature, contre les hiérarchies habituelles qu'elles renversent pour un jour par jeu ou qu'elles attaquent très dur[39]. »

Drame carnavalisé, tranche de la vie quotidienne à Arras, *Le Jeu de la Feuillée* se situe aux frontières de la vie et de l'art, sans distinction nette entre acteurs et spectateurs, sans rampe : « Pendant le carnaval, c'est la vie même qui joue et, pendant un certain temps, le jeu se transforme en vie même[40]. »

Dans cette nuit du 3 juin, le représentant du monde officiel, le moine, se tait et s'endort. En revanche, le monde clandestin du fou, de dame Douce, prostituée et sorcière, et des fées, divinités païennes détrônées, se donne libre cours, au bruit des clochettes du chasseur nocturne Hellequin, antithétiques des cloches de l'église Saint-Nicolas qui annoncent la fin de la fête et de la pièce.

Ce jeu est à la fois mort et résurrection, récréation et recréation. Adam, dans son nouveau costume, cherche à dépouiller le vieil homme pour renaître à l'étude et à la vie de clerc. Aux morts qu'annonce le médecin répond l'enfant dont dame Douce révèle la prochaine naissance. Les fils s'apprêtent à succéder aux pères. Le banquet des fées était à l'ordinaire destiné à célébrer un nouveau-né. Le monde se détruit pour renaître, la mort est incluse dans la vie. La vieillesse même est enceinte : dame Douce, la *grosse femme*, la *vieille replâtrée*, porte un enfant, comme au musée de l'Ermitage à Leningrad les figurines en terre cuite de Kartch représentent de vieilles femmes enceintes qui rient. Dans le couple grotesque de maître Henri et de dame Douce, qui ont tous deux le ventre enflé[41], ne retrouvons-nous pas le couple carnavalesque de Caramantran et de sa future veuve, qui était un homme déguisé en vieille femme ?

Cette rénovation est associée au détrônement bouffon qui révèle la relativité du pouvoir existant et de la vérité dominante. Toutes les hiérarchies sont renversées. La *reine* courtoise devient *truande* : Maroie, apparue au poète dans une féerique vision, s'enlaidit et récrimine comme une virago. Le *physicien*, qui représente la médecine savante, se transforme en charlatan, lit l'avarice dans l'urine et s'assied parmi les buveurs. Le monde chrétien s'efface devant les résurgences païennes, les fées surgissent à la place de Dieu et de ses saints, le moine est dépouillé de ses reliques, le pape est mis en accusation et ridiculisé. Les *rois* politiques d'Arras s'apprêtent à prendre le chemin de leurs victimes, et le bailli de Vermandois est battu. Même les mythes s'effondrent : les fées sont aussi méchantes, aveugles et versatiles que les femmes d'Arras ; Hellequin, le maître de la Chasse sauvage, abandonné par Morgue au profit de Sommeillon, se cache dans la poussière pour triompher de son rival. Quant à la famille, le père du dervé est battu par son fils, et maître Henri donne le mauvais exemple ; les maris sont réduits à l'impuissance ou trompés. La roue que tourne Fortune, aveugle, sourde et muette (vers 778-781), symbolise ces renversements, annonce la destitution des patriciens d'Arras et du prince du puy, traité de trompeur et de coureur, que se propose de remplacer le fou.

Le renouveau affranchit provisoirement des règles, refuse l'éternel et le permanent, au profit des formes changeantes. Les frontières entre les différents ordres s'effacent. Le dervé passe par toutes sortes de métamorphoses humaines et animales. Le monde de la féerie se mêle à celui des humains, et les trois fées, qui lient partie avec dame Douce, quittent leurs somptueux vêtements de *belles dames parées* pour s'affubler d'horribles masques de sorcières. Le délire de Plumus ne connaît plus de limite dans son action contre le pape. Adam remet en cause l'indissolubilité du mariage. Le geste du fou, se précipitant sur son père qu'il prend pour leur vache et qu'il traite d'*erite,* hérétique ou sodomite, ressortit autant à la sodomie incestueuse qu'à l'amour bestial. L'impossible devient imaginable, avec la grossesse d'un homme qui demande s'il lui faudra *gésir* comme femme en couches, ou de la vieille dame Douce, dont le nom masque une virago.

La vie matérielle et corporelle prédomine à travers les images du manger et du boire, de la maladie, de la satisfaction des besoins naturels, de la vie sexuelle, du bas corporel, dont nous trouvons chaque aspect dans *Le Jeu de la Feuillée*[42].

La fête est emportée par le rire qui atteint tout le monde, même les acteurs du carnaval, comme Adam. Ce rire satirique et joyeux chasse la peur des forces naturelles et surnaturelles (Croquesot et Hellequin deviennent ridicules), des pouvoirs religieux et politiques (les patriciens d'Arras sont des mourants ou des déchus en sursis), des interdits autoritaires et de la mort qui prend un air bouffon dans la tirade du médecin. Il dissipe les voiles de l'hypocrisie, du mensonge et de la flatterie, il abolit les censures extérieures et intérieures.

Dans cette fête où la folie proclame une autre vérité, le bouffon, le dervé, est roi, élu par le peuple, puis tourné en dérision et battu quand s'achève son règne.

L'on retrouve dans *Le Jeu de la Feuillée* tous les éléments de la fête populaire : banquets, jeux, grelots de la Chasse sauvage, facéties du médecin...

Peut-être faut-il aller plus loin en découvrant avec Michel Rousse[43] un écho des fêtes de mai — mois de l'amour et non de la conjugalité — et de la Saint-Jean, qui comportent, selon Arnold Van Gennep, « un élément sexuel bien visible[44] », et qui expliquent la présence des fées, parentes de la Reine de Mai et de ses suivantes, attendues selon le rituel spécifique d'une table dressée pour elles.

La feuillée est donc aussi la loge de feuillage où se tient cette Reine : à Gières, dans l'Ardèche, « autrefois, le 1er mai, les jeunes filles formaient avec des branchettes vertes (*folios*) une petite tonnelle[45] », où l'on mettait une jeune fille appelée la Reine de Hongrie. Cette loge contraste avec une autre feuillée, celle où était déposée la châsse de Notre-Dame, sur la petite place du Marché, où Guillot recommande d'aller allumer un cierge. « Ainsi *Le Jeu de la Feuillée* tire-t-il son nom de la loge de feuillage construite pour les " fées " selon la coutume du cycle de Mai, sans omettre de jouer de la situation qui l'opposait aux tentatives de christianisation de l'Eglise et en introduisant de plus de subtiles allusions aux rivalités locales[46]. » Ces festivités, divertissements de compagnies de jeunes gens dont le dervé est roi, avaient, comme dans la pièce, lié au mois de mai les chevauchées bruyantes de la Chasse sauvage, de la *Mesnie Hellequin*.

Cette volonté d'ancrer *Le Jeu de la Feuillée* dans les fêtes du cycle de Mai marque un regain d'intérêt pour de très anciennes traditions, venues du paganisme, à un moment où l'Eglise les condamnait et cherchait à les christianiser ou à inventer des fêtes de remplacement, car elle ne contrôlait pas encore l'ensemble du calendrier païen.

Mais cette fête qui, pour Jean Duvignaud[47], tend à « reconstituer la socialité mise en péril par la stratification naissante », n'est pas innocente : Adam charge de sa vengeance les éléments comiques qui dénoncent les tares et les prétentions, la sottise et la méchanceté, l'avarice, la débauche et l'hypocrisie des gens respectables, jugés responsables de la déchéance du poète. Il s'en prend à son père, à sa femme la pagousse *Maroie* qui l'englue dans les plaisirs sordides de la sensualité, à ses familiers Riquier, Hane et Guillot. Il ridiculise les femmes, les milieux politiques et le patriciat, les cercles poétiques et le puy représenté par Sommeillon. Il condamne Arras, ville de la cupidité et de la discorde, lieu de la dégradation. Il raille le médecin, le moine et l'Eglise : quand le dervé s'écrie : « Par la mort de Dieu, je meurs de faim », n'est-ce pas suggérer que les hommes sont abandonnés par Dieu et ses représentants ?

La fin de la pièce et le silence d'Adam consacrent le retour au quotidien dans un monde que symbolisent des animaux maléfiques ou répugnants : le chat, le crapaud, le dragon, l'escarbot. Et quelle fête mesquine ! L'on se partage une petite crêpe et un hareng de Yarmouth, on y boit un vin douteux.

Sous la gaieté d'un jeu carnavalesque, *Le Jeu de la Feuillée* où chacun redoute qu'il *ne lui en meskieche* « qu'il ne lui arrive du malheur [48] », retrace l'itinéraire moral et spirituel du poète qui n'a pas réussi à échapper aux servitudes de la vie ordinaire. Mais peut-être faut-il penser avec Alexandre Leupin [49] que « le ressassement, les impasses poétiques que le *Jeu* a catalogués avec acharnement sont transformés, par la vertu d'un signifiant libérateur — mais dont la salvation ne s'applique qu'à l'espace restreint de la pièce — en une nouvelle poétique qui répète toutes les figures de l'impossible pour faire de cette répétition le principe même qui engendre le texte » ?

IV. LE GRAND JEU DE LA LITTÉRATURE

Dans ce jeu, dont le nom nous rappelle le côté ludique, Adam joue non seulement avec les traditions populaires, mais aussi avec les formes littéraires. Il place sa pièce sous les auspices de la littérature : ne s'en prend-il pas à Sommeillon, le nouveau prince du puy, qui est peut-être Jean Bretel [50], le grand-prêtre des joutes poétiques d'Arras ? Ne consacre-t-il pas treize vers à un clerc du nom de Plumus qui est à la fois l'intellectuel qui se sert de sa plume, le plumitif qui multiplie les actes, et le clerc aussi léger que plume au vent, inefficace et vantard ?

Le poète joue avec ses propres œuvres, et d'abord avec ses *Congés* [51]. Les *Congés* étaient des poèmes composés pour prendre congé du monde et de ses amis : Jean Bodel et Baude Fastoul en écrivirent de fort beaux, au moment où la lèpre les contraignit à s'éloigner de la société. *Le Jeu de la Feuillée* est la mise en théâtre d'un *anti-congé*. L'on retrouve entre les deux œuvres des analogies : critique des avares, railleries contre des gens hostiles à l'auteur, désir de partir pour apprendre, reprise du mot clé *clergie ;* Adam se plaint d'avoir gaspillé son talent et veut revenir aux choses sérieuses. Mais, d'une œuvre à l'œuvre, que de différences ! S'agissant de Maroie, le poète des *Congés* confesse qu'il a connu une vie heureuse, que l'amour lui a enseigné la courtoisie et le pousse à reprendre ses études ; il quitte avec tristesse sa « belle et très douce amie chère », à qui il laisse son cœur en dépôt ; il veut étudier pour mieux mériter son amour et ne part que pour trois ou quatre ans, alors que, dans *Le Jeu de la Feuillée,* l'amour est un obstacle à son départ. Dans les *Congés,* pas d'allusion au père, que le jeu accuse d'être ivrogne, avare et hypocrite. Sur les Arrageois, six strophes à la gloire de riches bourgeois dans les *Congés,* et une seule strophe critique, générale : Arras est une ville de chicane et de calomnie où l'on aime trop l'argent et où l'argent est roi ; dans *Le Jeu de la Feuillée,* la satire se fait envahissante et personnelle contre les patriciens, malhonnêtes, pingres et goinfres. Les *Congés,* qui honorent les bienfaiteurs du poète, relèvent de la confidence pour suggérer l'arrachement et la conversion ; *Le Jeu de la Feuillée* multiplie les profanations et s'élargit à la satire politique pour dire l'échec et la folie d'un poète qui ne peut être à la fois clerc et mondain, et qui s'efforce à la lucidité, à la recherche du temps perdu, en quête d'un sens à donner à la vie [52].

Dans *Le Jeu de Robin et Marion* [53], Adam de la Halle a emprunté à la pastourelle son schéma général (l'ébauche d'une idylle entre un chevalier et une bergère), sa conclusion (l'échec final du seigneur), ses divertissements (jeu des rois et des reines, jeu de saint Côme, musique, danses), certains détails (lutte contre le loup, querelles entre bergers) ; mais il a changé le récit en action, le style indirect en dialogue ; il y a repris des refrains connus. Peut-être est-il possible de discerner les structures de cette pastorale dramatique dans *Le Jeu de la Feuillée.* En tout cas, au cœur des deux jeux, on décèle la présence de la folie symbolisée par le fromage. De nombreuses ressemblances, qui ne sont pas seulement verbales, multiplient les liens : le jeu de saint Côme est parallèle au défilé des Arrageois devant les reliques de saint Acaire ; au roi ridicule qu'est Baudon dans *Le Jeu de Robin et Marion* correspond le nouveau prince du puy, Robert Sommeillon, voire le dervé, qui se dit roi. Les deux pièces mettent en scène deux mondes juxtaposés, ceux du chevalier et des bergers dans *Le Jeu de Robin et Marion*, ceux des fées et des Arrageois dans *Le Jeu de la Feuillée*. D'un côté et de l'autre, trois compagnons autour du héros. Dans les deux jeux, des quiproquos, certes comiques, révèlent un monde où les êtres ne peuvent communiquer : Adam est aussi incompris de ses proches et de ses concitoyens que le dervé ou le chevalier du *Jeu de Robin et Marion*, si bien que coups et injures remplacent le dialogue. Mais il est aisé de mesurer la distance entre l'esquisse, *Le Jeu de Robin et Marion*, et la pièce de la maturité, *Le Jeu de la Feuillée*, dense et brillante, profonde, intégrant tous les styles, toute en finesse [54].

Il est un autre genre que les Arrageois ont beaucoup pratiqué et dont le maître fut sans conteste Jean Bretel : c'est le jeu-parti, débat oral, compétition ludique et chanson à deux voix qui, « en opposant deux modèles, en soulignant la binarité de la matière courtoise, explicite le contredit devenu notation extérieure et non plus tension intérieure » du grand chant courtois [55]. Or il semble bien que le passage qui concerne Robert Sommeillon ait à peu près la structure d'un jeu-parti, puisque deux points de vue différents s'affrontent et alternent [56]. De plus, dans *Le Jeu de la Feuillée*, Adam, qui reprend des vers de ses poèmes lyriques, récrit des jeux-partis où il débattait avec Jean Bretel. Celui-ci se donne à l'ordinaire le beau rôle du poète le plus fidèle aux prescriptions de l'amour courtois, tandis que notre poète défend des points de vue opposés à ceux du *Jeu de la Feuillée*. Ainsi, dans le jeu-parti XI, Adam soutient qu'il préfère rester à Arras avec son amie, et Bretel lui reproche d'accepter cette captivité qui hante les cauchemars du héros de la *Feuillée*. Dans le jeu-parti IX, Adam, amoureux, ne refuse pas d'être chevauché, comme Aristote, par son amie, à condition qu'elle tienne sa promesse, et Bretel, cinglant, lui lance qu'il a avili la *clergie ;* or *Le Jeu de la Feuillée* n'exprime-t-il pas les efforts du poète pour échapper à Arras et à l'amour de Maroie, pour retrouver sa dignité de clerc ? Hanté par la recherche du vrai et du beau, il est maintenant convaincu que, pour un poète, il n'est de salut qu'à Paris, hors des liens du mariage : il a opté pour la science et le savoir contre la passion.

Les premiers propos du dervé (vers 392-400) sont proches de la poésie du non-sens que Philippe de Beaumanoir avait inaugurée dans ses *Oiseuses* et ses *Fatrasies*[57] ; ils font même allusion à la *raine,* à la grenouille, qui occupe le premier vers des *Fatrasies* : *Li chan d'une raine Saigne une balaine* « Le chant d'une grenouille saigne une baleine ».

Quant au prologue composé de quatrains d'alexandrins, il reprend le mètre et le ton du dit moral, représenté par d'autres textes arrageois, comme *Le Doctrinal Sauvage* et *Le Dit de Fortune* de Monniot[58].

Le Jeu de la Feuillée fait aussi référence aux grands genres des XIIe et XIIIe siècles, pour les remettre en question. De la chanson de geste surnagent des vestiges, que leur emploi ridiculise. Le *lignage*[59] rend compte de l'avarice héréditaire chez les bourgeois d'Arras. La répétition comique de *biau nié,* qui joue sur le double sens de *niés* « neveu » et de *niais,* est une allusion malicieuse au motif des neveux, nombreux dans les textes épiques. Quand le fou s'écrie qu'il a entendu le jongleur Hesselin chanter les exploits d'Anséis et de Marsile, et qu'il ajoute : « Dis-je la vérité ? Ce coup en témoigne » (vers 536-538), c'est une manière pour l'auteur de rejeter les mimiques caricaturales des ménestrels et les outrances de l'épopée qui ressortissent à diverses formes de la folie[60].

Du lai et du roman proviennent les éléments féeriques et courtois qui dégénèrent en leurs contraires. Du double portrait de la fée Morgue, bienveillante au XIIe siècle, déloyale et luxurieuse au XIIIe, Adam présente une synthèse habile et signifiante : bonne en apparence, voire en intention,

Morgue fait des dons qui se révèlent désastreux pour le héros. Le nain Croquesot, intermédiaire entre la féerie et Arras, est proche de celui du roman *Durmart le Gallois* qui se croit élégant et chante « à grosse voix[61] ». Le tournoi de la Table ronde devient un règlement de comptes et un pugilat grotesque qui fait de Robert Sommeillon un piètre émule de Lancelot du Lac. La répétition de *mentés* et *mensonge*, les propos ambigus de dame Douce et l'épreuve ridicule du pouce sont une parodie malicieuse de l'épreuve d'Iseut dans le roman de *Tristan* de Béroul.

La tradition courtoise du roman et de la poésie lyrique se retrouve dans un certain idéal esthétique du portrait, dans des procédés stylistiques, dans des motifs regroupés au début de la pièce, comme la naissance de l'amour, la duperie amoureuse, les rigueurs de la dame, la jalousie, le désenchantement[62]...

Transformés et complétés par des emprunts à d'autres genres, comme à la sotte chanson pour le portrait de la laideur, ces motifs font du *Jeu de la Feuillée* la pièce de l'échec et de la captivité.

Par cette analyse impitoyable de l'amour, Adam de la Halle, qui invente le théâtre de la lucidité, refuse les prestiges et les alibis de la littérature courtoise, les idéaux et les mythes du passé. Il instaure une littérature nouvelle, fondée sans doute sur l'aristotélisme rénové par les Arabes, et répond aux questions primordiales : qu'écrire ? pour qui écrire ? comment écrire ?

Dans cette œuvre très savante, Adam joue enfin avec son propre personnage. Il tient tous les rôles : fils, époux, intellectuel, ami, poète. On le connaît par ce qu'il nous dit de lui-même aussi bien que par les propos des autres, du fou, des fées, des compagnons, dont certains sont ses doubles.

L'on découvre peu à peu la richesse exceptionnelle et les différents niveaux de signification[63] de cette pièce subtile, qui appelle la glose, et qui semble tourner autour de la féerie, plus spécialement autour de la roue de Fortune. Bien plus, l'importance des jeux sur les noms propres et l'individualisation des personnages amènent à rejeter à l'arrière-plan le côté autobiographique et anecdotique du *Jeu de la Feuillée* et à y déceler le jeu dramatique du poète dans la ville dont il se sent prisonnier plutôt que le drame d'un poète nommé Adam de la Halle. Faut-il aller jusqu'à dire avec Saint-John Perse :

> « La personnalité même du poète n'appartient en rien au lecteur qui n'a droit qu'à l'œuvre révolue, détachée comme un fruit de son arbre. Encore plus absurde, infiniment, est cette recherche systématique d'une personnalité politique et l'introduction arbitraire de l'histoire contemporaine, avec toutes ses implications morales, patriotiques ou sociales, dans des poèmes irréductibles à tout l'ordre temporel, affranchis de toute heure comme de tout lieu [64] » ?

En tout cas, cette pièce dense, ce testament littéraire, est une expérience de théâtre total, greffé sur la fête populaire du carnaval. Première expérience de théâtre dans le théâtre, de théâtre de la rue, *Le Jeu de la Feuillée* est un psychodrame dont les participants jouent des scènes de leur vie quotidienne avec des partenaires de leur choix, exorcisant ainsi les phantasmes de l'auteur et des acteurs-spectateurs. N'est-ce pas aussi un exemple du théâtre de la névrose au sens où l'entendait Otto Rank : « Le névrosé, qu'il soit inhibé ou fécond, souffre fondamentalement du fait qu'il ne peut ou ne veut s'accepter lui-même, accepter sa propre individualité, sa propre personnalité. D'un côté, il se critique à l'excès, d'un autre, il s'idéalise à l'excès, ce qui signifie qu'il exige trop de lui-même, de sa perfection, et que l'échec le pousse à se critiquer plus encore » ?

Enfin, cette pièce, qui combine l'héritage de tout un siècle, est en quelque sorte la matrice du théâtre comique médiéval. Nous retrouvons le théâtre dans le théâtre dans une sottie de Gringore, *La Mère Sotte,* le moine porteur de reliques dans *La Farce d'un pardonneur, d'un triacleur et d'une tavernière*; l'opposition entre le badin et le sot reproduira celle du dervé et de Walet, comme *la perrucque d'estrange poil faicte* de la Mère Sotte dans *La Folie des Gorriers* rappellera le *hurepiaus* de Croquesot.

Jean DUFOURNET.

NOTES

1. Sur cette association, lire, de Roger Berger, *Le Nécrologe de la confrérie des jongleurs et des bourgeois d'Arras* (1194-*1361*) Arras, t. II, 1970, et *Littérature et société arrageoises au XIIIe siècle. Les Chansons et dits artésiens,* Arras, 1981 ; et notre livre, *Adam de la Halle à la recherche de lui-même ou le Jeu dramatique de la Feuillée,* Paris, 1974, p. 56.

2. Nous pensons que *Le Jeu de Robin et Marion* est antérieur au *Jeu de la Feuillée;* cf. notre *Sur Le Jeu de la Feuillée. Etudes complémentaires,* Paris, 1977, pp. 95-124.

3. Jean Maillard, *Adam de la Halle. Perspective musicale,* Paris, 1982.

4. Dans *Sens et composition du Jeu de la Feuillée,* Ann Arbor, 1956.

5. Voir *Les Commencements du théâtre comique en France,* dans la *Revue des Deux Mondes,* t. 99, juin 1890, pp. 869-897.

6. Sur ce point, lire le beau travail de Guy Paoli, *La Taverne au Moyen Age,* thèse pour le doctorat d'Etat, soutenue à la Sorbonne nouvelle (Paris III) en janvier 1987.

7. A. Guesnon, *Publications nouvelles sur les trouvères artésiens* dans *Le Moyen Age,* t. 22, 1909, p. 74.

8. A lire dans l'édition d'Edmond Faral, Paris, Champion, nouveau tirage, 1967 (*Classiques français du Moyen Age,* 3).

9. A lire dans l'édition d'Albert Henry, *Le Jeu de saint Nicolas de Jean Bodel,* 3e éd. remaniée, Bruxelles, Palais des Académies, 1981.

10. Voir aussi les vers 756 de *Saint Nicolas, Et nous finerons bien chaiens,* et 970 de la *Feuillée, Vous finerés moult bien chaiens ;* les vers 671-672 de *Saint Nicolas, Sire, car contés a Cliquet/Ains qu'il commenç nouvel escot,* et 999-1000 de la *Feuillée, Parmi chou m'en irai anchois / Qu'il reviegne nouviaus escot.*

11. Comparer les vers 751-752 de *Saint Nicolas, Tenés, Rasoir, par uns couvens / Que ne tenistes tel auwen,* « Tenez, Rasoir, et

gageons que vous n'en avez pas bu de pareil cette année », et les vers 912-914 de la *Feuillée : Tel ne boit on mie en couvent, / Et si vous ai bien en couvent / Qu'auen ne vint mie d'Aucherre,* « On n'en boit pas de tel dans les couvents, / Et je vous le garantis : / Ce n'est pas cette année qu'il est venu d'Auxerre. »

12. Quand le roi d'Afrique ordonne à Auberon d'aller convoquer ses vassaux (vers 239-250), quand les combattants, païens et chrétiens, s'encouragent avant la bataille (vers 384-411) et quand un chrétien s'adresse à l'ange (vers 424-427).

13. Vers 431-450.

14. Vers 941-944. L'aubergiste fait lui-même la réclame de son vin (dans *Le Jeu de saint Nicolas,* c'était le crieur Raoulet) et devient l'agent direct de la tromperie.

15. Dispute entre les buveurs, entre l'aubergiste et Guillot ; entre le médecin et Dame Douce ; entre Maglore et les autres fées.

16. Elles sont évoquées à propos de Thomas de Clari et de Wautier As Paus (vers 416), candidats au concours de poésie ; l'on fait croire au moine qu'Hane a joué et perdu aux dés pour lui (vers 966-983).

17. Additions de l'aubergiste et de son garçon Caignet dans *Le Jeu de saint Nicolas,* vers 673-676, 745-746, 803, 814, 1322-1324 ; *Le Jeu de la Feuillée* les rappelle en deux vers (971-972) et un jeu de scène.

18. *Jeu de saint Nicolas,* vers 642-658 ; *Jeu de la Feuillée,* vers 909-910.

19. Le puy était une société littéraire qui organisait des concours poétiques.

20. Vers 230, 235.

21. Voir Michel Foucault, *Histoire de la folie,* Paris, Gallimard, 1961 ; Joël Lefebvre, *Les Fols et la folie. Etude sur les genres du comique et la création littéraire en Allemagne pendant la Renaissance,* Paris, 1968 ; Jean Dufournet, *Adam de la Halle à la recherche de lui-même...,* pp. 297-301.

22. Vers 343, 424, 866, 1090.

23. Vers 368-369.

24. Vers 372-377.

25. Vers 380-389.

26. Dans son ouvrage sur *Le Carnaval,* Paris, 1974.

27. Vers 390-393, 512-515...

28. Vers 1085-1088.

29. Vers 1090.

30. Voir Edelgard DuBruck, *The Marvelous Madman of the Jeu de la Feuillée,* dans *Neophilologus,* t. 58, 1974, pp. 180-188.

31. Vers 322-337.

32. Vers 568-573.

33. Comme le lui propose l'aubergiste aux vers 991-994.

34. Vers 1012-1016.

35. Vers 1031, 1068. Il ment même : il prétend n'être pas riche, alors qu'il a affirmé à Hane que ses affaires marchaient bien (vers 894).

36. Vers 1032-1034.

37. Voir aussi la relation homophonique qui lie le dervé, Walet et Adam, et qui comporte un jeu sur les verbes *Kier* « chier » et *keoir*, choir, aux vers 194, *k'i a*, 342, *kia*, et 406, *kie*.

38. Nourriture sans valeur, témoin les deux répliques du *Jeu de Robin et Marion* : le berger qui a dit : *si t'aport des pumes* (pommes) au vers 119, ajoute plus loin (vers 144) : *Mais je ne t'ai rien apporté.*

39. Pour ces deux citations de Claude Gaignebet et de Jacques Heers, voir nos remarques dans *Sur Le Jeu de la Feuillée*, pp. 56-62.

40. Mikhaïl Bakhtine, *L'Œuvre de François Rabelais et la culture populaire au Moyen Age et sous la Renaissance*, Paris, 1970, p. 16.

41. Ce motif de l'enflure, physique mais aussi morale et intellectuelle, est important dans la pièce.

42. Pour l'accouplement : les femmes *gisent souvines* « sur le dos », Sommeillon monte sur le tas ; pour les besoins naturels : jeu de mots sur *kia* et *kié*, bruit de trompettes, *noise du prois* « bruit du derrière », compisser et conchier, urines examinées par le médecin...

43. *Le Jeu de la Feuillée et les coutumes du cycle de mai*, dans les *Mélanges Charles Foulon*, Rennes, 1980, pp. 313-327.

44. Arnold Van Gennep, *Manuel de folklore français contemporain*, t. I, IV, 2, p. 1421.

45. *Id., ibid.*, p. 1460.

46. Michel Rousse, *art. cit.*, p. 323.

47. *Les Ombres collectives. Sociologie du théâtre*, Paris, 1973, p. 123.

48. Voir les vers 179, 1046, 1060.

49. *Le Ressassement. Sur le Jeu de la Feuillée d'Adam de la Halle*, dans *Le Moyen Age*, t. 89, 1983, p. 268.

50. Voir nos arguments dans *Adam de la Halle à la recherche de lui-même...*, pp. 178-184.

51. A lire dans l'édition de Pierre Ruelle, *Les Congés d'Arras (Jean Bodel, Baude Fastoul, Adam de la Halle)*, Paris-Bruxelles, 1965.

52. Voir Jean-Charles Payen, *Typologie des genres et distanciation :*

le double Congé d'Adam de la Halle, dans *Kwartalnik Neofilologiczny*, t. 17, 1980, pp. 115-132.

53. Ce texte, accompagné de sa traduction, paraîtra dans la même collection.

54. Il suffit de comparer Riquier et Guillot du *Jeu de la Feuillée* à Gautier et Huart du *Jeu de Robin et Marion*.

55. Michèle Gally, *Rhétorique et histoire d'un genre : le jeu-parti à Arras*, thèse soutenue devant l'Université de Paris VII en 1985.

56. Voir notre livre sur *Adam de la Halle à la recherche de lui-même...*, pp. 173-178.

57. Voir la thèse de Patrice Uhl, *La Poésie du non-sens en France aux XIIIe et XIVe siècles*, 4 vol., Université de la Sorbonne nouvelle (Paris III), 1986, et notre article sur *Philippe de Beaumanoir et l'expérience de la limite : du double sens au non-sens* (à paraître).

58. Textes édités, le premier, par Aimo Sakari, Jyväskylä, 1967, le second, par Holger Petersen Dyggve dans *Moniot d'Arras et Moniot de Paris, trouvères du XIIIe siècle*, Helsinki, 1938, pp. 217-220.

59. Vers 215 et 222.

60. Plus loin, lorsque les compagnons braillent : « Aye est assise au sommet de la tour » (vers 1025), c'est une critique non seulement de la chanson de geste ou de la chanson de toile, mais aussi de l'habitude d'entrelacer des refrains-centons dans une œuvre.

61. Voir notre *Adam de la Halle à la recherche de lui-même...*, p. 144.

62. Vers 82-164.

63. Pour une exégèse, voir notre livre cité n. 61, pp. 58-59.

64. Lettre à Adrienne Monnier, dans *Œuvres complètes*, Paris, Gallimard, 1972, p. 552 *(Bibliothèque de la Pléiade)*.

NOTE LIMINAIRE

I

Nous publions le manuscrit P, Bibliothèque nationale, fr. 25566, f°s 48v°-59v° (fin du XIIIe s. ou début du XIVe s., en dialecte picard), le seul à nous procurer le *Jeu de la Feuillée* dans son intégralité. Il comporte la rubrique *Li jus Adan* et l'explicit *Li jeus de le fuellie.*

Nous avons reproduit ce manuscrit le plus fidèlement possible ; nous avons mis

— au bas du texte, les rares leçons que nous avons rejetées ;

— entre crochets, les lettres ou mots que nous avons ajoutés ;

— entre parenthèses, les lettres que nous avons supprimées.

A la fin du volume, nous avons reproduit les deux autres manuscrits qui sont incomplets :

— le manuscrit V, Vatican Reg. 1490, f°s 131v°-133v° (début du XIVe s., en dialecte picard), comporte les vers 1-170 sous la rubrique *C'est li coumencemens du jeu Adan le Boçu* ; ce manuscrit a été recopié au XIXe siècle (Arsenal, 1490, f°s 294a-297a) ;

— le manuscrit Pb, Bibliothèque nationale fr. 837, f°s 250v°-251v° (début du XIVe s., en dialecte francien) comporte les vers 1-174 sous la rubrique *Le jeu Adan le Boçu d'Arraz.* Voir la reproduction en fac-similé de ce manuscrit par H. Omont, *Fabliaux, dits et contes en vers français du XIIIe siècle,* Paris, 1932.

II

Dans la mesure où nous avons introduit d'assez nombreuses notes, nous avons veillé à ce que la traduction ne tourne pas à la glose, nous refusant à introduire des éléments étrangers au texte. Nous avons cherché à offrir une version littéralement saisissable pour le lecteur qui ne connaît pas l'ancienne langue, en écartant les tours archaïques, les mots disparus du vocabulaire ou dont le sens a changé.

La traduction peut ainsi satisfaire aux principes de brièveté, d'exactitude et de fidélité qui sont primordiaux à nos yeux. Tout en se suffisant à elle-même, elle se tient au plus près du texte initial, elle ne le modifie que lorsque la stricte intelligibilité l'exige. Aussi conserve-t-elle toutes les images, même devenues obscures. Elle respecte, autant que possible, le mouvement, le rythme, la cadence, à tout le moins toutes les fois que la clarté n'en souffre pas.

III

Complémentaires de la traduction, les notes, que nous avons voulues concises et claires, sont de plusieurs sortes.

Les unes ressortissent à la philologie et à la sémantique : elles justifient la leçon que nous avons adoptée, voire la ponctuation que nous avons introduite ; elles commentent quelquefois la traduction ou la forme des mots ; elles attirent l'attention sur des termes que le français contemporain a conservés, mais avec un sens autre que celui du texte ; elles signalent la tonalité de certains termes, techniques, archaïques, dialectaux, vulgaires ou même argotiques.

Les autres relèvent de l'histoire : nous avons tâché d'identifier et de situer en quelques mots les personnages et les lieux que mentionne Adam de la Halle ; nous avons rendu compte des institutions et des usages dont le poète s'est fait l'écho ; nous avons commenté les faits de civilisation, les légendes et les croyances populaires.

D'autres notes, plus proprement littéraires, visent à éclairer les intentions de l'auteur, les antiphrases et les doubles sens, les jeux de langage, les structures du texte, les motifs récurrents ; elles visent à mettre la pièce en relation avec les œuvres antérieures ou contemporaines, à élucider les allusions.

Souvent, tout en évitant une érudition trop pesante, nous avons indiqué les ouvrages ou les articles où le lecteur pourra trouver des renseignements complémentaires.

IV

Nous n'aurions pas pu écrire cet ouvrage sans les travaux et les recherches de nombreux prédécesseurs dont plusieurs générations se sont efforcées de percer les mystères, les énigmes et les difficultés de cette pièce fascinante, et dont les noms apparaissent dans la bibliographie ; nous pensons plus particulièrement à A. Guesnon, à Albert Henry, à Pierre Ruelle, enfin à Roger Berger dont les deux ouvrages magistraux nous ont permis d'éclairer maint passage.

V

Voici quelques remarques sur la langue pour aider le lecteur à se familiariser avec le texte. Rappelons qu'en ancien français *x* est une graphie de *-us* (*ex* = *eus* « yeux » ou « eux ») et que, devant consonne, *l* représente un *u* (*molt* = *mout* « beaucoup »). D'autre part, quelques traits du picard qu'on retrouve dans *la Feuillée,* encore qu'il faille noter qu'Adam de la Halle, ou plutôt le scribe qui a recopié la pièce, a utilisé des formes franciennes aussi bien que picardes dans une langue littéraire commune.

A. *Phonétique.*

1. *K* explosif devant *e* ou *i* en latin, *t* explosif devant *yod, k* devant *yod* ont donné [ts] puis [s] en francien, [tch] puis [ch] en picard (écrit *c* ou *ch*) : *cité/chité ; prince/princhе ; merci/merchi ; cent/chent...*

2. *K* explosif devant *a* en latin a donné [tch] puis [ch] en francien, mais est demeuré [k] en picard ; *g* devant *a* a donné [dj] puis [j] en francien, restant [g] en picard : *changier/cangier ; chausses/cauches ; pechié/pekié ; chose/cose ; chascuns/cascuns...*

3. En picard, pas de *b* ni de *d* intercalaires, épenthétiques, entre *m* et *l, n* et *r, l* et *r* : *samble/sanle* « semble » ; *aprendre/aprenre* « apprendre » ; *vendroit/venroit* « viendrait »... ; mais, entre *m* et *r,* nous avons *b* en picard comme en francien : *chambre/cambre...*

4. Par différenciation, *ou* est devenu *au* en picard : *sous/saus ; pou/pau* « peu » ; *voudrai/vaurrai...*

5. En picard, réduction des diphtongues et des triphtongues ; ainsi *ie* devient *e (drapier/draper), ie* devient *i (chievres/civres* « chèvres »), *iee* donne *ie (baisiee/baisie* « baisée »), *ei* passe à *i (seigneur/signeur ; peisson/pisson* « poisson »), *ieu* à *iu (Dieu/Diu ; lieu/liu).*

6. Disparition en picard de *p* ou *b* derrière *u* et devant *l* : *peuple/pules ; afublés/afulés...*

7. Les groupes du latin *-ilis, -ilius* et *-ivus* aboutissent à *-ius* en picard et à *-is* ou *-iz* en francien : *fiz/fius* « fils » ; *gentis/gentius* « gentil ».

8. En picard, *s* intérieur devant consonne passe à *r* : *vaslet/varlet ; desvé/dervé...*

9. Conservation en picard du *w-* germanique initial : *garder/warder ; gaiterés/waiterés* « guetterez ».

10. En picard, *-abula, -abulu, -abile* donnent *-avle,*

-aule, alors que nous avons *-able* en francien : *table/tavle ; oublier/ouvlier.*

11. Conservation en picard du *-t* final : *markiet ; piet ; coukiet* « couché »...

B. *Morphologie.*

1. L'article féminin singulier est identique au masculin : *le joie, le geule, le vile... ;* au cas sujet singulier, on a *li : li pagousse, li cose, li persone...*

2. a. Le picard a un pronom personnel féminin *le* identique au masculin, au lieu de *la* comme en francien : *on le crient* « on la craint ».

2. b. Les formes toniques du picard sont *jou* (francien : *gié, je*), *mi (moi), ti (toi), aus* (*eus, ex* « eux »).

3. a. Aux formes franciennes *mon, ton, son,* correspondent en picard *men, ten, sen : men pere...*

3. b. A *ma, ta, sa* du francien répondent *me, te, se : me commere...*

3. c. *No* et *vo* remplacent *nostre* et *vostre : vo maladie...*

3. d. *Miue, tiue, siue* sont employés à la place de *meie, moie* « mienne », *toue, teue* ou *toie* « tienne », *soue, seue* ou *soie* « sienne ».

4. Le démonstratif pluriel *ciaus, chiaus* du picard correspond au francien *ceus* « ceux ».

5. A la première personne du singulier du présent ou du passé simple de l'indicatif, on a souvent en picard la désinence *c*, phonétique ou analogique : *fac* « je fais » ; *buc* « je bus » ; *euc* « j'eus » ; *vauc* « je voulus »...

6. Au présent du subjonctif, on a souvent en picard la désinence *-che : baches* « battes » ; *hache* « haïsse ».

7. Au futur et au conditionnel des 3e et 4e conjugaisons, on a souvent un *e* intermédiaire : *prendera* « prendra ».

8. A la troisième personne du pluriel du passé simple, le picard présente des formes en *-s-, -ss- : fisent* (*firent* en francien), *misent, missent* (*misdrent, mistrent,*

mirent en francien), *prissent* (*prisdrent, prirent* en francien)...

9. Maintien en picard au subjonctif imparfait du *-s-* intervocalique : *presist* en face de *preïst* en francien (« prît »).

Pour des compléments, recourir à Charles-Théodore Gossen, *Petite Grammaire de l'ancien picard*, Paris, Klincksieck, plusieurs éditions.

LE JEU
DE LA FEUILLÉE

LISTE DES PERSONNAGES

ADANS, Maître Adam de la Halle, poète, musicien et auteur du *Jeu de la Feuillée*.

MAISTRES HENRIS, Maître Henri de la Halle, père d'Adam.

RIKECE AURIS, RIKIERS, Riquier, compagnon d'Adam.

GUILLOS LI PETIS, GUILLOT, Guillot, compagnon du poète.

HANE LI MERCIERS, Hane le Mercier, compagnon du poète.

LI FUSISCIENS, LI FISISCIENS, le médecin.

DOUCE DAME, Dame Douce, femme d'Arras.

RAINNELES, habitant d'Arras.

LI MOINES, le moine.

WALES, un sot.

LI DERVES, un fou.

LI PERES AU DERVE, le père du fou.

CROQUESOS, CROKESOS, Croquesot, messager du roi Hellequin.

MORGUE, une fée.

MAGLORE, une fée.

ARSILE, une fée.

LI OSTES, RAOUL (LE WAIDIER), le patron de l'auberge.

LI JUS ADAN

(ADANS)

Segneur, savés pour quoi j'ai mon abit cangiet?
J'ai esté avoec feme, or revois au clergiet :
Si avertirai chou que j'ai piecha songiet.

Mais je voeil a vous tous avant prendre congiet.

Or ne porront pas dire aucun que j'ai antés
Que d'aler a Paris soie pour nient vantés.
Chascuns puët revenir, ja tant n'iert encantés ;

Aprés grant maladie ensieut bien grans santés.

D'autre part je n'ai mie chi men tans si perdu
Que je n'aie a amer loiaument entendu :
Encore pert il bien as tés quels li pos fu.

Si m'en vois a Paris.

RIKECE AURIS

Caitis, qu'i feras tu ?
Onques d'Arras bons clers n'issi,
Et tu le veus faire de ti !
Che seroit grans abusïons.

ADAM

Messieurs, savez-vous pourquoi je porte un autre costume ?
J'étais marié, je reprends ma place parmi les clercs.
Ainsi réaliserai-je un rêve qui me hante depuis longtemps.
Mais auparavant je veux prendre congé de vous tous.

Maintenant, certaines de mes relations ne pourront
plus prétendre que mon voyage à Paris n'était qu'une vaine vantardise.
Chacun peut retrouver sa lucidité, malgré l'envoûtement qui le tient ;
après une grave maladie revient une excellente santé.

D'ailleurs, je n'ai pas tout à fait perdu mon temps ici :
n'ai-je pas pris soin d'être un amant loyal ?
Les tessons du vase révèlent encore sa beauté première.
Je prends donc la route de Paris.

RICHESSE AURRI

Mon pauvre, qu'y feras-tu ?
Jamais d'Arras n'est sorti un grand clerc,
et toi, tu prétends réaliser cet exploit !
Ce serait vraiment te bercer d'illusions.

ADANS

N'est mie Rikiers Amïons
Bons clers et soutiex en sen livre ?

HANE LI MERCIERS

Oïl : pour .II. deniers le livre.
Je ne voi qu'il sache autre cose.
Mais nus reprendre ne vous ose,
Tant avés vous muavle chief.

RIKIERS

Cuidiés vous qu'il venist a chief,
Biaus dous amis, de che qu'il dist ?

ADANS

Chascuns mes paroles despist,
Che me sanle, et giete moult lonc ;
Mais, puis que che vient au besoing
Et que par moi m'estuet aidier,
Sachiés je n'ai mie si chier
Le sejour d'Arras ne le joie
Que l'aprendre laissier en doie.
Puis que Diex m'a donné engien,
Tans est que je l'atour a bien :
J'ai chi assés me bourse escouse.

GUILLOS LI PETIS

Que devenra dont li pagousse,
Me commere dame Maroie ?

ADANS

Biaus sire, avoec men pere ert chi.

GUILLOS

Maistres, il n'ira mie ensi,
S'ele se puet metre a le voie,
Car bien sai, s'onques le connui,
Que, s'ele vous i savoit hui,
Que demain iroit sans respit.

ADAM

Riquier Amion n'est-il pas un grand clerc,
très adroit dans son livre ?

HANS LE MERCIER

Que si ! pour un profit de deux deniers par livre !
Je ne sache pas que sa science aille au-delà.
Mais personne n'ose vous faire des reproches,
si changeant est votre esprit.

RIQUIER *s'adressant à Hane*

Est-ce que vous vous imaginez, mon cher ami,
qu'il pourrait réaliser ce qu'il annonce ?

ADAM

Chacun, à ce qu'il me semble,
prend mes propos pour de méprisables billevesées,
mais, puisque la nécessité m'oblige
à ne compter que sur moi,
je tiens à vous dire que je n'aime pas assez
les plaisirs de la vie arrageoise
pour leur sacrifier la quête du savoir.
Puisque Dieu m'a doté de talent,
il est temps que je le fasse fructifier :
j'ai trop vidé ma bourse en ce lieu.

GUILLOT LE PETIT

Mais que deviendra votre bourgeoise,
ma commère dame Maroie ?

ADAM

Cher monsieur, elle restera ici avec mon père.

GUILLOT

Maître, cela ne se passera pas ainsi,
si elle peut se mettre en route,
car je suis sûr, ou je ne la connais pas,
que, si aujourd'hui elle vous savait là-bas,
elle s'y rendrait pas plus tard que demain.

ADANS

Et savés vous que je ferai ?
Pour li espanir meterai
*De le moustarde seur men [vit. *]*

GUILLOS

Maistres, tout che ne vous vaut nient,
Ne li cose a che point ne tient.
Ensi n'en poés vous aler,
Car, puis que sainte eglise apaire
Deus gens, che n'est mie a refaire.
Garde estuet prendre a l'engrener.

ADANS

Par foi, tu dis adevinaille,
Aussi com : « par chi le me taille ».
Qui s'en fust wardés a l'emprendre ?
Amours me prist en itel point
Ou li amans .II. fois se point
S'il se veut contre li deffendre.
Car pris fu ou premier boullon,
Tout droit en le varde saison
Et en l'aspreche de jouvent,
Ou li cose a plus grant saveur,
Car nus n'i cache sen meilleur,
Fors chou qui li vient a talent.
Esté faisoit bel et seri,
Douc et vert et cler et joli,
Delitavle en chans d'oiseillons.
En haut bos, pres de fontenele,
Courans seur maillie gravele,
Adont me vint avisïons
De cheli que j'ai a feme ore,
Qui or me sanle pale et sore :
*Adont estoit blanke et vermeille **,*
Rians, amoureuse et deugie,
Or le voi crasse, mautaillie,
Triste et tenchans.

ADAM

Eh bien ! savez-vous ce que je ferai ?
Pour la sevrer, je mettrai
de la moutarde sur ce que vous pensez.

GUILLOT

Maître, cette dérobade ne vous sert à rien,
la vraie difficulté n'est pas là.
Vous ne pouvez pas partir ainsi,
car, dès que la Sainte Eglise unit
deux personnes, impossible de rien changer.
Il faut éviter de mettre le doigt dans l'engrenage.

ADAM

Ma foi, tu parles sans réfléchir,
quand tu dis : « Fais ci, fais ça ! »
Qui aurait pu y échapper au premier moment ?
Amour se saisit de moi à tel point
que l'amant retourne le fer dans la plaie
s'il veut se défendre contre lui.
En effet, je fus pris quand tout se met à bouillonner,
au moment précis où reverdit la nature,
où la jeunesse brûle de cette ardeur
qui donne plus de saveur aux joies de l'amour
et pousse chacun à négliger son intérêt
pour rechercher son plaisir.
C'était un bel été serein
et doux, verdoyant, lumineux et gai,
qu'enchantaient les trilles des oisillons.
Au fond d'un bois, près d'une source
qui courait sur du gravier scintillant,
j'eus alors la vision
de celle qui maintenant est ma femme,
et qui maintenant me semble défraîchie et fanée :
alors, son visage, blanc et rose,
rayonnait d'amour, son corps était svelte ;
maintenant, je la vois grosse, déformée,
triste et grincheuse.

RIKIERS

C'est grans merveille.
Voirement estes vous muavles,
Quant faitures si delitavles
Avés si briement ouvliees.
Bien sai pour coi estes saous.

ADANS

Pour coi?

RIKIERS

Elle a fait envers vous
Trop grant marchié de ses denrees.

ADANS

Ha! Riquier, a che ne tient point;
Mais Amours si le gent enoint
Et chascune grasse enlumine
En fame et fait sanler si grande,
Si c'on cuide d'une truande
Bien que che soit une roïne.
Si crin sanloient reluisant
D'or, roit et crespe et fremïant;
Or sont keü, noir et pendic.
Tout me sanle ore en li mué.
Ele avoit front bien compassé,
Blanc, omni, large, fenestric;
Or le voi cresté et estroit.
Les sourchiex par sanlant avoit
Enarcant, soutiex et ligniés,
D'un brun poil pourtrait de pinchel
Pour le resgart faire plus bel;
Or les voi espars et drechiés
Con s'il voellent voler en l'air.
*Si noir oeil me sanloient vair**,
Sec et fendu, prest d'acaintier,
Gros desous deliés fauchiaus,
A deus petis plocons jumiaus,
Ouvrans et cloans a dangier
En regars simples, amoureus.

RIQUIER

C'est prodigieux !
Le vrai, c'est que vous êtes changeant :
avoir si vite oublié
des formes si délectables !
Je connais bien la raison de votre satiété.

ADAM

Quelle est-elle ?

RIQUIER

Elle vous a prodigué
trop généreusement ses richesses.

ADAM

Non, Riquier, vous n'y êtes pas ;
mais Amour sacralise les gens
et pare d'un vif éclat chacun des charmes
de la femme et les exagère si bien
que notre imagination en une fille de peu
découvre une reine.
Ses cheveux rivalisaient
avec l'or, drus, ondulés, frémissants ;
les voici clairsemés, noirs, raides.
Tout maintenant me semble changé en elle.
Son front, bien proportionné,
blanc, lisse, large, dégagé,
je le vois maintenant ridé et fuyant.
Ses sourcils, à ce qu'il me semblait,
arqués, fins, dessinaient une ligne régulière
de poils bruns, tracés au pinceau
pour embellir son regard.
Aujourd'hui, broussailleux et ébouriffés,
on les dirait prêts à s'envoler.
Ses yeux noirs me semblaient vifs,
nets, fendus en amande, engageants,
immenses sous la diaphane enveloppe des paupières,
bordées l'une et l'autre par la fine clôture des cils
qui s'ouvraient et se fermaient à volonté
pour lancer des regards pleins de naïveté et d'amour.

Puis si descendoit entre deus
Li tuiaus du nés bel et droit,
Qui li donnoit fourme et figure,
Compassé par art de mesure,
Et de gaieté souspiroit.
Entour avoit blanche maissele,
Faisans au rire .II. foisseles
Un peu nuees de vermeil,
Parans desous le cuevrekief.
*Ne Diex ne venist mie a chief**
De faire un viaire pareil
Que li siens, adont me sanloit.
Li bouche aprés se poursievoit,
Graille as cors et grosse ou moilon,
Fresche, vermeille comme rose;
Blanque denture, jointe, close.
En aprés, fourchelé menton,
Dont naissoit li blanche gorgete,
Dusc'as espaules sans fossete,
Omni et gros en avalant;
Haterel poursievant derriere,
Sans poil, blanc et gros de maniere,
Seur le cote un peu reploiant;
Espaules qui point n'encruquoient,
Dont li lonc brac adevaloient,
Gros et graille ou il afferoit.
Encor estoit tout che du mains,
*Qui resgardoit ches blanches** mains*
Dont naissoient chil bel lonc doit,
A basse jointe, graille en fin,
Couvert d'un bel ongle sangin,
Pres de le char omni et net.
Or verrai au moustrer devant,
De le gorgete en avalant,
Et premiers au pis camuset,
Dur et court, haut et de point bel,
Entrecloant le ruiotel
D'Amours qui chiet en le fourchele;
Boutine avant et rains vauties,

Puis descendait entre les deux yeux
l'arête du nez fin et droit :
ses harmonieuses proportions
lui donnaient beauté et pureté,
et la joie y mettait un frémissement.
De part et d'autre, deux joues immaculées,
où le rire creusait deux fossettes,
délicatement teintées de vermeil,
qui se devinaient sous sa voilette.
Dieu ne parviendrait pas
à façonner un visage comparable
au sien, du moins je me l'imaginais alors.
Venait ensuite la bouche,
avec ses fines commissures et ses lèvres charnues,
fraîche, incarnate comme la rose,
s'ouvrant sur deux rangées régulières de dents éclatantes.
Et voici le menton, sa gracieuse fossette,
puis la gorge et sa délicate blancheur,
sans ride ni creux jusqu'aux épaules,
lisse, s'arrondissant peu à peu.
Par-derrière, la nuque,
bien découverte, blanche, pleine à souhait,
formait un léger pli sur la tunique.
Des épaules qui n'étaient pas pointues,
descendaient de longs bras,
ici pleins, là minces, selon les canons de la beauté.
Mais ces appas perdaient tout leur éclat
quand on regardait ses mains blanches
que prolongeaient de beaux doigts, longs,
avec de fines articulations et des extrémités effilées,
recouverts de beaux ongles roses,
lisses et nets près de la chair.
Venons-en maintenant au devant du corps,
à partir de la gorge, en descendant :
d'abord, la poitrine rondelette,
ferme, menue, haute, d'une beauté idéale,
emprisonnant le ruisselet
d'Amour qui se jette dans le creux de l'estomac.
Puis, le ventre saillant, les reins cambrés,

Que manche d'ivoire entaillies
A ches coutiaus a demoisele.
Plate hanque, ronde gambete,
Gros braon, basse quevillete,
Pié vautic, haingre, a peu de char.
En li avoit itel devise;
Si quit que desous se chemise
N'aloit pas li seurplus en dar.
Et ele perchut bien de li
Que je l'amoie miex que mi,
Si se tint vers moi fierement,
Et con plus fiere se tenoit,
Plus et plus croistre en mi faisoit
Amour et desir et talent.
Avoec se merla jalousie,
Desesperanche et derverie.
Et plus et plus fui en ardeur
Pour s'amour et mains me connui
Tant c'ainc puis aise je ne fui,
Si euc fait d'un maistre un segneur.
Bonnes gens, ensi fui jou pris
Par Amours qui si m'eut souspris,
Car faitures n'ot pas si beles

Comme Amours le me fist sanler,
Et Desirs le me fist gouster
A le grant saveur de Vaucheles.
S'est drois que je me reconnoisse
Tout avant que me feme engroisse
Et que li cose plus me coust,
Car mes fains en est apaiés.

RIQUIERS

Maistres, se vous le me laissiés,
Ele me venroit bien a goust.

MAISTRE ADANS

Ne vous en mesquerroie a pieche.
Dieu proi que il ne m'en mesquieche :
N'ai mestier de plus de mehaing,

sculptés comme le manche en ivoire
des petits couteaux dont se servent les demoiselles.
Les hanches étroites, les jambes galbées,
les mollets dodus, les chevilles fines et basses,
les pieds cambrés, minces, nerveux :
c'est ainsi que je me la représentais.
Et je crois que, sous sa chemise,
le reste ne déparait pas l'ensemble.
Elle se rendit bien compte toute seule
que je l'aimais plus que moi-même ;
aussi devint-elle hautaine à mon égard,
et plus elle se montrait hautaine,
plus elle excitait en moi
l'amour, le désir, la convoitise.
S'y ajoutèrent la jalousie,
le désespoir et la folie.
Plus la passion attisait mon ardeur,
plus je devenais étranger à moi-même,
si bien qu'ensuite je n'eus de cesse
que je n'eusse fait d'un maître ès arts un maître de maison.
Braves gens, ainsi suis-je devenu le prisonnier
d'Amour qui me prit en traître,
car ses traits n'étaient pas aussi beaux
que je le crus sur la foi d'Amour ;
et Désir me fit prendre goût à ses charmes,
les épiçant à la mode de Vaucelles.
Aussi est-il juste que je me retrouve,
avant que ma femme ne devienne grosse
et que l'aventure ne me coûte plus cher,
car je n'ai plus faim de ses appas.

RIQUIER

Maître, si vous me la laissiez,
je la trouverais bien à mon goût.

ADAM

Je ne serais pas long à vous croire.
Je prie Dieu qu'il ne m'en arrive aucun malheur :
je n'ai pas besoin de plus d'infortune.

Ains vaurrai me perte rescourre
Et, pour aprendre, a Paris courre.

MAISTRE HENRIS

Ah ! biaus doux fiex, que je te plaing,
Quant tu as chi tant atendu
Et pour feme ten tans perdu !
Or fai que sages : reva t'ent.

GUILLOS LI PETIS

Or li donnés dont de l'argent :
Pour nient n'est on mie a Paris.

MAISTRES HENRIS

Las ! Dolans ! Ou seroit il pris ?
Je n'ai mais que XXIX livres !

HANE LI MERCIERS

Pour le cul Dieu, estes vous ivres ?

MAISTRES HENRIS

Naie, je ne bui hui de vin.
J'ai tout mis en canebustin.
Honnis soit qui le me loa !

MAISTRE ADANS

Qu'i a ? K'i a ? K'i a ? K'i a ?
Or puis seur chou estre escoliers !

MAISTRES HENRIS

Biaus fiex, fors estes et legiers,
Si vous aiderés a par vous.
Je sui uns vieux hom plains de tous,
Enfers et plains de rume et fades.

LI FUSISCIENS

Bien sai de coi estes malades.
Foi que doi vous, maistre Henri,
Bien voi vo maladie chi :
C'est uns maus c'on claime avarice.

Mais je voudrais recouvrer ce que j'ai perdu
et, pour étudier, courir à Paris.

MAÎTRE HENRI

Ah ! mon cher fils, comme je te plains
d'avoir tant attendu ici
et perdu ton temps pour une femme !
Maintenant écoute la raison et pars.

GUILLOT LE PETIT

Donnez-lui donc de l'argent,
car à Paris on ne vit pas de l'air du temps.

MAÎTRE HENRI

Malheur ! Pauvre de moi ! Où le prendre ?
Je n'ai pas plus de vingt-neuf livres.

HANE LE MERCIER

Tudieu ! Etes-vous saoul ?

MAÎTRE HENRI

Pas du tout : je n'ai pas bu de vin... de la journée.
Je me suis tout mis dans le bidon.
Honte à celui qui m'y poussa !

MAÎTRE ADAM

Qu'est-ce qu'il y a ? Qu'est-ce qu'il y a ?
Il m'est facile, dans ces conditions, d'être étudiant !

MAÎTRE HENRI

Cher fils, vous êtes fort et vif ;
aussi vous débrouillerez-vous tout seul.
Moi, je suis un pauvre vieux plein de toux,
infirme, toujours enrhumé, sans vigueur.

LE MÉDECIN

Je sais bien de quoi vous êtes malade,
Par la foi que je vous dois, maître Henri,
je vois bien quelle est votre maladie :
c'est un mal qu'on appelle avarice.

S'il vous plaist que je vous garisce,
Coiement a mi parlerés.
Je sui maistres bien acanlés,
S'ai des gens amont et aval
Cui je garirai de cest mal.
Nommeement en ceste vile
En ai je bien plus de .II.mile
Ou il n'a respas ne confort.
Halois en gist ja a le mort,
Entre lui et Robert Cosiel
Et ce bietu le Faveriel;
Aussi fait trestous leur lignages.

GUILLOS LI PETIS

Par foi, che n'ie˜t mie damages
Se chascuns estoit mors tous frois.

LI FISISCIENS

*Aussi ai jou deux Ermenfrois**,
L'un de Paris, l'autre Crespin,
Qui ne font fors traire a leur fin
De ceste cruel maladie,
Et leur enfant et leur lignie.
Mais de Haloi est che grans hides,
Car il est de lui omicides.
S'il en muert, c'ert par s'ocoison,
Car il acate mort pisson,
S'est grans mervelle qu'il ne crieve.

MAISTRES HENRIS

Maistres, qu'est che chi qui me lieve?
Vous connisiés vous en cest mal?

LI FISISCIENS

Preudons, as tu point d'orinal?

MAISTRES HENRIS

Oïl, maistres, ves ent chi un.

Si vous voulez que je vous guérisse,
vous me parlerez en tête à tête.
Je suis un médecin très demandé,
j'ai de tous les côtés des patients
que je guérirai de ce mal.
Notamment, dans cette ville,
j'en ai bien plus de deux mille
qu'il n'est pas possible de guérir ni de soulager.
Haloi a déjà un pied dans la tombe,
lui mais aussi Robert Cosiel
et cette grosse bête de Faverel ;
il en est de même de toutes leurs familles.

GUILLOT LE PETIT

Ma foi, ce ne serait pas plus mal
si chacun d'eux était déjà mort et enterré.

LE MÉDECIN

J'ai aussi deux Ermenfroi,
celui de Paris et Crespin,
qui ne font que courir à la mort
du fait de cette cruelle maladie,
avec leurs enfants et leurs familles.
Mais la conduite de Haloi est horrible,
car il se tue de ses propres mains.
S'il meurt, ce sera par sa faute :
n'achète-t-il pas du poisson mort ?
Il est extraordinaire qu'il ne crève pas.

MAÎTRE HENRI

Maître, qu'est-ce donc qui me pousse là ?
Vous y connaissez-vous à cette maladie ?

LE MÉDECIN

Mon brave, as-tu un urinal ?

MAÎTRE HENRI

Oui, Maître, en voici un.

LI FISISCIENS

Feïs tu orine a engun?

MAISTRES HENRIS

Oïl.

LI FISISCIENS

Cha dont, Diex i ait part!

Tu as le mal saint Lïenart,
Biaus preudons, je n'en voeil plus vir.

MAISTRES HENRIS

Maistres, m'en estuet il gesir?

LI FISISCIENS

Nenil, ja pour chou n'en gerrés.
J'en ai .III. ensi atirés
Des malades en ceste vile.

MAISTRES HENRIS

Qui sont il?

LI FISISCIENS

Jehans d'Autevile,
Willaumes Wagons et li tiers
A a non Adans li Anstiers.
Chascuns est malades de chiaus
Par trop plain emplir lor bouchiaus;
Et pour che as le ventre enflé si.

DOUCE DAME

Biaus maistres, consillié me aussi,
Et si prendés de men argent,
Car li ventres aussi me tent
Si fort que je ne puis aler;
S'ai aportee, pour moustrer
A vous, de trois lieues m'orine.

LE MÉDECIN

As-tu uriné à jeun ?

MAÎTRE HENRI

Oui.

LE MÉDECIN

Approche-le donc, que Dieu nous aide !

Le médecin examine l'urine.

Tu as le mal de saint Léonard,
mon brave, je ne veux pas en voir davantage.

MAÎTRE HENRI

Maître, pour ça, faut-il me coucher ?

LE MÉDECIN

Non, non, vous n'en accoucherez pas pour autant.
J'en ai trois aussi bien arrangés
parmi les malades de cette ville.

MAÎTRE HENRI

Qui sont-ils ?

LE MÉDECIN

Jean d'Auteville,
Guillaume Wagon et le troisième
se nomme Adam l'Anstier.
La maladie de chacun de ces trois-là,
c'est de trop se remplir la bedaine,
et pour cette raison tu as au ventre une telle enflure.

DOUCE DAME

Cher maître, accordez-moi aussi une consultation,
en échange de mon argent,
car j'ai aussi le ventre si tendu
que je ne puis plus avancer ;
j'ai donc apporté de trois lieues,
pour vous la montrer, mon urine.

LI FISISCIENS

Chis maus vient de gesir souvine,
Dame, ce dist chis orinaus.

DOUCE DAME

Vous en mentés, sire ribaus!
Je ne sui mie tel barnesse.
Onques pour don ne pour premesse
Tel mestier faire je ne vauç.

LI FISISCIENS

Et j'en ferai warder ou pauç
Pour acomplir vostre menchongne.

Rainelet, il couvient c'on oigne
Ten pauç : lieve sus un petit;
Mais avant esteut c'on le nit.
Fait est. Rewarde en ceste crois
Et si di chou que tu i vois.

DOUCE DAME

Bien voeil certes c'on die tout.

RAINNELÉS

Dame, je voi chi c'on vous [fout].*
Pour nului n'en chelerai rien.

LI FISISCIENS

Enhenc! Dieus, je savoie bien
Comment li besoigne en aloit :
Li orine point n'en mentoit.

DOUCE DAME

Tien! Honnis soit te rouse teste!

RAINNELÉS

Anwa! Che n'est mie chi feste.

LE MÉDECIN

Il examine l'urine.

Ce mal vient de trop pratiquer la position horizontale,
Dame : c'est le verdict de l'urinal.

DOUCE DAME

Vous êtes un menteur, grossier personnage.
Je ne suis pas celle que vous croyez.
Jamais pour don ni pour promesse
je n'ai voulu faire un tel métier.

LE MÉDECIN

Eh bien ! je vous ferai subir l'épreuve du pouce
pour prouver que vous avez menti.

Il se tourne vers Rainelet.

Rainelet, il faut qu'on enduise d'huile
ton pouce : lève-le un petit peu.
Mais avant tout il faut le nettoyer.
Voilà qui est fait. Regarde en cette croix
et dis ce que tu y vois.

DOUCE DAME

Je veux bien qu'on dise toute la vérité.

RAINELET

Dame, je vois ici qu'on vous baise.
Personne ne me forcera à taire quoi que ce soit.

LE MÉDECIN

Hé, hé ! par Dieu, je savais bien
ce qui se passait :
l'urine ne mentait pas.

DOUCE DAME

Elle donne une gifle à Rainelet.

Attrape ! Maudite soit ta tête de rouquin !

RAINELET

Holà ! Ce n'est pas fête ici !

LI FISISCIENS

Ne t'en caut, Rainelet, biaus fiex.
Dame, par amours, qui est chiex
De cui vous chel enfant avés ?

DOUCE DAME

Sire, puis que tant en savés,
Le seurplus n'en chelerai ja :
Chiex viex leres le vaegna,
Si puisse jou estre delivre.

RIKIERS

Que dist cele feme ? Est ele yvre ?
Me met ele sus son enfant ?

DOUCE DAME

Oïl.

RIKIERS

N'en sai ne tant ne quant.
Quant fust avenus chis afaires ?

DOUCE DAME

Par foy, il n'a encore waires :
Che fu un peu devant quaresme.

GUILLOS

Ch'est trop bon a dire vo feme.
Rikier, li volés plus mander ?

RIKIERS

Ha ! gentiex hom, laissiés ester.
Pour Dieu, n'esmouvés mie noise.
Ele est de si male despoise
Qu'ele croit che que point n'avient.

LE MÉDECIN

C'est sans importance, Rainelet, cher fils.
Dame, je vous en prie, quel est donc
le père de l'enfant que vous portez ?

DOUCE DAME

Sire, puisque vous en savez déjà tant,
je ne vous cacherai plus le reste :
c'est cette canaille qui me l'a planté

Elle montre Riquier.

aussi vrai que je souhaite avoir accouché.

RIQUIER

Que raconte cette femme ? Elle est saoule ?
Elle m'attribue son enfant ?

DOUCE DAME

Oui.

RIQUIER

Première nouvelle !
Quand donc cela se serait-il passé ?

DOUCE DAME

Ma foi, ce n'est pas vieux :
ça s'est passé un peu avant le carême.

GUILLOT

Voilà une excellente nouvelle à dire à votre femme. Riquier, voulez-vous qu'on lui fasse savoir autre chose ?

RIQUIER

Ah ! bon compagnon, restons-en là !
De grâce, pas de scandale !
Elle est d'un naturel si méchant
qu'elle croit à des choses qui n'existent pas.

GUILLOS

A Di foy, bien ait cui on crient!
Je tieng a sens et a vaillanche
Que les femes de le Waranche
Se font cremir et resoignier.

HANE

Li feme aussi Mahieu L'Anstier,
Qui fu feme Ernoul de le Porte,
Fait que on le crient et deporte.
Des ongles s'aïe et des dois
Vers le baillieu de Vermendois;
Mais je tieng sen baron a sage
Qui se taist.

RIKECE

Et en che visnage
A chi aussi deus baisseletes :
L'une en est Margos as Pumetes,
Li autre Aëlis au Dragon;
Et l'une tenche sen baron,
Li autre quatre tans parole.

GUILLOS

A! vrais Diex! aporte une estoile :
Chis a nommé deus anemis.

HANE

Maistre, ne soiés abaubis
S'il me couvient nommer le voe.

ADANS

Ne m'en caut, mais qu'ele ne l'oe;
S'en ai je bien d'aussi tenchans :

Li feme Henri des Argans
Qui grate et resproe c'uns cas,
Et li feme maistre Thoumas
De Darnestal qui maint la hors.

GUILLOT

Par Dieu, bénis soient les gens qu'on craint !
C'est, à mes yeux, preuve d'intelligence et de valeur,
si les femmes de la Garance
se font craindre et respecter.

HANE

La femme de Mathieu l'Anstier, elle aussi,
la veuve d'Ernoul de la Porte,
fait qu'on la craint et la supporte.
Elle joue des ongles et des mains
contre le bailli de Vermandois ;
mais, à mes yeux, son mari est un sage,
puisqu'il se tait.

RICHESSE

Tout près d'ici,
il y a deux jeunes femmes :
l'une est Margot aux Petites Pommes,
l'autre Aelis au Dragon ;
l'une querelle son mari,
l'autre est un vrai moulin à paroles.

GUILLOT

Ah ! Dieu de vérité, vite, une étole :
il vient de nommer deux démons.

HANE

s'adressant à Adam.

Maître, ne soyez pas étonné
si je dois nommer votre femme.

ADAM

Je m'en moque, pourvu qu'elle n'en sache rien.
D'ailleurs, j'en connais beaucoup d'aussi querelleuses :
la femme d'Henri des Arjans
qui griffe et crache comme un chat,
et la femme de maître Thomas
de Darnétal qui habite là-bas, au-dehors.

HANE

Cestes ont chent diales ou cors,
Se je fui onques fiex men pere.

ADANS

Aussi a dame Eve vo mere.

HANE

*Vo feme, Adan, ne l'en doit vaires**.

LI MOINES

Segneur, me sires sains Acaires
Vous est chi venus visiter;
Si l'aprochiés tout pour ourer,
Et si meche chascuns s'offrande,
Qu'il n'a saint desi en Irlande
Que si beles miracles fache,
Car l'anemi de l'ome encache
Par le saint miracle devin
Et si warist de l'esvertin
Communement et sos et sotes.
Souvent voi des plus ediotes
A Haspre no moustier venir
Qui sont haitié au departir,
Car li sains est de grant merite;
Et d'une abenguete petite
Vous poés bien faire du saint.

MAISTRE HENRIS

Par foy, dont lo jou c'on i maint
Walet ains qu'il voist empirant.

RIKIERS

Or cha, sus, Walet, passe avant;
Je cuit plus sot de ti n'i a.

WALÉS

Sains Acaires, que Diex ** *kia,*

HANE

Elles ont des légions de diables au corps,
aussi vrai que je fus le fils de mon père.

ADAM

s'adressant à Hane.

C'est aussi le cas de dame Eve, votre mère.

HANE

Votre femme, Adam, n'a rien à lui envier.

LE MOINE

Messieurs, monseigneur saint Acaire
est venu en ce lieu vous visiter.
Approchez-vous tous pour le prier,
et que chacun dépose son offrande,
car aucun saint, d'ici jusqu'en Irlande,
ne fait d'aussi extraordinaires miracles.
En effet, il chasse l'ennemi du genre humain
par le saint miracle divin
et ainsi guérit de la folie
toutes les catégories de sots et de sottes.
J'en vois souvent, et des plus dérangés,
venir à notre monastère de Haspres
et s'en retourner guéris,
car notre saint est très puissant,
et avec une seule toute petite pièce de monnaie
vous pouvez gagner ses faveurs.

MAÎTRE HENRI

Ma foi, je propose donc qu'on y mène
Valet avant que son état n'empire.

RIQUIER

Allons, debout, Valet, avance :
je crois qu'il n'y a pas plus fou que toi.

VALET

Saint Acaire, divin étron,

Donne me assés de poi pilés,
Car je sui, voi, un sos clamés;
Si sui molt lié que je vous voi,
Et si t'aporç, si con je croi,
Biau nié, un bon froumage cras.
Tou maintenan le mengeras;
Autre feste ne te sai faire.

MAISTRE HENRIS

Walet, foy que dois saint Acaire,
Que vauroies tu avoir mis
Et tu fusses mais a toudis
Si bons menestreus con tes pere?

WALÉS

Biau nié, aussi bon vïelere
Vauroie ore estre comme il fu,
Et on m'eüst ore pendu
Ou on m'eüst caupé le teste.

LI MOINES

Par foi, voirement est chis beste:
Droit a s'il vient a saint Acaire.
Walet, baise le saintuaire
Errant pour le presse qui sourt.

WALÉS

Baise aussi, biaus niés Walaincourt.

LI MOINES

Ho! Walet, biaus niés, va te sir.

DAME DOUCE

Pour Dieu, sire, voeilliés me oïr.
Chi envoient deus estrelins
Colars de Bailloel et Heuvins,
Car il ont ou saint grant fianche.

donne-moi des tonnes de pois pilés,
car je suis, constate-le, un fou déclaré.
C'est pourquoi je suis content de te voir,
et je t'apporte, à ce qu'il me semble,
mon petit, un bon fromage bien gras.
Tu le mangeras aussitôt ;
je ne sais pas te fêter autrement.

MAÎTRE HENRI

Valet, par la foi que tu dois à saint Acaire,
que voudrais-tu avoir donné
pour être à tout jamais
un ménestrel aussi fort que ton père ?

VALET

Mon petit, pour être maintenant
aussi bon joueur de vielle qu'il fut,
j'accepterais d'être pendu
ou d'être décapité.

LE MOINE

Ma foi, il est vraiment bête :
il est juste qu'il vienne à saint Acaire.
Valet, baise le reliquaire
sans tarder car les gens affluent.

VALET

après avoir baisé le reliquaire.

Baise-le aussi, Valaincourt, mon petit.

LE MOINE

Hé ! Valet, mon petit, va t'asseoir.

DOUCE DAME

Par Dieu, sire, daignez m'entendre.
Voici deux estrelins qu'envoient
Colart de Bailleul et Heuvin,
car ils ont grande confiance dans le saint.

LI MOINES

Bien les connois treske s'enfanche
C'aloient tendre as pavillons.
Metés chi devens ches billons
Et puis les amenés demain.

WALÉS

Ves chi pour Wautier a le Main :
Faites aussi prïer pour lui ;
Aussi est il malades hui
Du mal qui li tient ou chervel.

HANE

Or en faisons tout le vieel
Pour chou c'on dist qu'il se coureche.

LI KEMUNS

Moie !

LI MOINES

N'est il mais nus qui meche ?
Avés vous le * saint ouvlïé ?*

HENRIS DE LE HALE

Et ves chi un mencaut de blé
Pour Jehan le Keu no serjant :
A saint Acaire le commant ;
Piech'a que il li a voué.

LI MOINES

Frere, tu l'as bien commandé.
Et ou est il qu'i ne vient chi ?

HENRIS

Sire, li maus l'a rengrami,
Si l'a on un petit coukiét ;
Demain revenra chi a piét,
Se Diex plaist, et il ara miex.

LE MOINE

Je les connais bien depuis leur enfance
lorsqu'ils allaient à la chasse aux papillons.
Déposez ici ces piécettes
et amenez-les demain.

VALET

Voici pour Gautier A la Main :
faites aussi prier pour lui,
car il souffre aujourd'hui
du mal qui le tient au cerveau.

HANE

Beuglons donc tous comme des veaux
puisqu'on dit que ça le met en colère.

LA FOULE

Meuh !

LE MOINE

N'y a-t-il plus personne qui dépose une offrande ?
Avez-vous oublié le saint ?

HENRI DE LA HALLE

Voici encore un gros sac de blé
pour Jean le Queux notre sergent :
je le recommande à saint Acaire ;
il y a longtemps qu'il le lui a promis.

LE MOINE

Mon frère, tu l'as bien recommandé ;
mais où est-il pour ne pas venir en personne ?

HENRI

Sire, il a eu un nouvel accès de neurasthénie,
on l'a couché pour quelques heures ;
demain, il viendra ici à pied,
s'il plaît à Dieu, et il donnera davantage.

LI PERES

Or cha, levés vous sus, biaus fiex,
Si venés le saint aourer.

LI DERVÉS

Que c'est? Me volés vous tuer,
Fiex a putain, leres, erites?
Creés vous la ches ypocrites?
Laissié me aler, car je sui rois.

LI PERES

A! Biaus dous fiex, seés vous cois,
Ou vous arés des envïaus.

LI DERVÉS

Non ferai. Je sui uns crapaus
Et si ne mengüe fors raines.
Escoutés, je fais les araines :

Est che bien fait? Ferai je plus?

LI PERES

Ha! biaus dous fiex, seés vous jus,
Si vous metés a genoillons;
Se che non, Robers Soumillons,
Qui est nouviaus prinches du pui,
Vous ferra.

LI DERVÉS

Bien kïe de lui.
Je sui miex prinches qu'il ne soit.
A sen pui canchon faire doit
Par droit maistre Wautiers As Paus
Et uns autres leur paringaus,
Qui a non Thoumas de Clari.
L'autrier vanter les en oï.
Maistre Wautiers ja s'entremet
De chanter parmi le cornet
Et dist qu'il sera courounés.

LE PÈRE DU FOU

Allons, levez-vous, cher fils,
et venez prier le saint.

LE FOU

Qu'est-ce que c'est ? Vous voulez me tuer,
fils de putain, bougre d'hérétique ?
Vous ajoutez foi à ces hypocrites-là ?
Laissez-moi passer, car je suis roi.

LE PÈRE

Ah ! mon cher fils, tenez-vous tranquille,
sinon vous aurez des coups.

LE FOU

Non, non. Je suis un crapaud
et ne mange que des grenouilles.
Ecoutez, je joue de la trompette.

Le fou imite la trompette.

Est-ce réussi ? Dois-je continuer ?

LE PÈRE

Ah ! mon cher fils, restez en bas
et mettez-vous à genoux ;
sinon, Robert Sommeillon,
le nouveau prince des poètes,
vous frappera.

LE FOU

Quel choix merveilleux !
Je suis un meilleur prince que lui.
A son académie, maître Gautier aux Pouces
doit justement produire une chanson,
ainsi qu'un autre de leur acabit
dont le nom est Thomas de Clari.
L'autre jour, je les ai entendus s'en vanter.
Maître Gautier s'entraîne déjà
à jouer du cornet
et dit qu'il remportera le prix.

MAISTRE HENRIS

Dont sera chou au ju des dés,
Qu'il ne quierent autre deduit.

LI DERVÉS

Escoutés que no vache muit.
Maintenant le vois faire prains.

LI PERES

A ! Sos puans, ostés vos mains
De mes dras, que je ne vous frape.

LI DERVÉS

Qui est chieus clers a cele cape ?

LI PERES

Biaus fiex, c'est uns parisïens.

LI DERVÉS

Che sanle miex uns pois baiens.
Bau !

LI PERES

Que c'est ? Taisiés pour les dames !

LI DERVÉS

S'il li sousvenoit des bigames,*
Il en seroit mains orgueilleus.

RIKIERS

Enhenc ! maistre Adan, or sont .II.
Bien sai que ceste chi est voe.

ADANS

Que sét il qu'il blame ne loe ?
Point n'aconte a cose qu'il die,
Ne bigames ne sui je mie,

MAÎTRE HENRI

Ce sera donc au jeu de dés,
car ils ne cherchent pas d'autre divertissement.

LE FOU

Ecoutez comme notre vache meugle.
Je vais tout de suite l'engrosser.

Le fou saute sur le dos de son père.

LE PÈRE

Ah ! sale fou, ôtez vos mains
de mes vêtements, ou je vous frappe.

LE FOU

Quel est ce clerc avec cette cape ?

LE PÈRE

Cher fils, c'est un Parisien.

LE FOU

C'est plutôt un pois dans sa gousse.
Oua, oua !

Le fou aboie en direction d'Adam.

LE PÈRE

Qu'est-ce que c'est ? Taisez-vous à cause des dames.

LE FOU

S'il se souvenait des clercs bigames,
il perdrait un peu de son orgueil.

RIQUIER

Hé ! hé ! Maître Adam, et de deux !
Je suis sûr qu'il s'agit de votre femme.

ADAM

Que sait-il pour blâmer ou louer ?
Je n'accorde aucune importance à ses paroles
Et puis je ne suis pas du tout bigame,

Et s'en sont il de plus vaillans.

MAISTRE HENRIS

Certes li meffais fu trop grans,
Et chascuns le pape en cosa
Quant tant de bons clercs desposa.
Ne pourquant n'ira mie ensi,
Car aucun se sont aati,
Des plus vaillans et des plus rikes,
Qui ont trouvees raisons friques,
Qu'il prouveront tout en apert
Que nus clers par droit ne desert
Pour marïage estre asservis,
Ou marïages vaut trop pis
Que demourer en soignantage.
Comment ont prelas l'avantage
D'avoir femes a remuier
Sans leur previlege cangier,
Et uns clers si pert se franquise
Par espouser en sainte eglise
Fame qui ot autre baron?*
Et li fil a putain, laron,
Ou nous devons prendre peuture,
Mainent en pechié de luxure.
Et si goent de leur clergie!
Romme a bien le tierche partie
Des clers fais sers et amatis.

GUILLOS

Plumus s'en est bien aatis,
Se se clergie ne li faut,
Qu'il ravera che c'on li taut
Pour a metre un peson d'estoupes.
Li papes qui en chou eut coupes
Est ëuereus quant il est mors:
Ja ne fust si poissans ne fors
C'ore ne l'eüst desposé.
Mal li eüst onques osé
Tolir previlege de clerc,
Car il li eüst dit esprec
Et si eüst fait l'escarbote.

mais le sont d'autres plus importants que moi.

MAÎTRE HENRI

A coup sûr, ce fut un crime inouï
et chacun en blâma le pape
quand il déposa tant de bons clercs.
Néanmoins, ça ne se passera pas ainsi,
car, parmi les plus puissants et les plus riches,
certains se sont vantés,
forts de nouveaux arguments,
de prouver sans contestation possible
qu'aucun clerc, si l'on s'en tient au droit,
ne mérite, parce qu'il est marié, d'être asservi,
ou alors le mariage est cent fois pire
que le concubinage.
Comment ! les prélats ont le droit
d'avoir des femmes à gogo
sans qu'on touche à leurs privilèges,
et un clerc perd ses droits d'homme libre
parce qu'il épouse, devant la sainte Eglise,
une femme qui a eu un autre mari ?
Et les enfants de putain, les canailles,
qui doivent nous donner notre nourriture,
se vautrent dans la luxure
et, malgré tout, jouissent de leurs privilèges de clerc !
Rome a réduit un bon tiers des clercs
à la servitude et à la ruine.

GUILLOT

Plumus s'en est bel et bien vanté :
si sa cléricature ne lui fait pas défaut,
il recouvrera ce qu'on lui enlève...
dût-il mentir un peu.
Quant au pape qui a commis cette faute,
il a de la chance d'être mort :
si puissant et si fort qu'il fût,
à cette heure il eût été déposé.
C'est pour son malheur qu'il eût osé
lui retirer son privilège de clerc,
car Plumus lui aurait dit : « Sprek ! »,
et aurait continué à vivre dans l'ordure.

HANE

Mout est sages s'il ne radote.
Mais Mados et Gilles de Sains
Ne s'en atissent mie mains.
Maistres Gilles ert avocas,
Si metera avant les cas
Pour leur previlege ravoir,
Et dist qu'il livrera savoir
Se Jehans Crespins livre argent;
Et Jehans leur a en couvent
Qu'il livrera de l'aubenaille,
Car mout ert dolans s'on le taille.
Chis fera du frait par tout fin.

MAISTRE HENRIS

Mais pres de mi sont doi voisin
En Cité, qui sont bon notaire,
Car il s'atissent bien de faire
Pour nient tous les escris du plait,
Car le fait tienent a trop lait
Pour chou qu'il sont andoi bigame.

GUILLOS

Qui sont il?

MAISTRE HENRIS

Colars Fousedame *
Et s'est Gilles de Bouvignies.
Chist noteront par aaties,
Ensanle plaideront pour tous.

GUILLOS

Enhenc! Maistre Henri, et vous
Plus d'une feme avés eüe,
Et s'avoir volés leur aieüe,
Metre vous i couvient du voe.

MAISTRE HENRIS

Gillot, me faites vous le moe?
Par Dieu, je n'ai goute d'argent,

HANE

Il est très sage s'il ne divague pas.
Mais Madot et Gilles de Sains
se vantent tout autant.
Maître Gilles sera l'avocat,
il exposera les arguments
pour recouvrer leurs privilèges,
et affirme qu'il donnera du savoir
si Jean Crespin donne de l'argent ;
et Jean s'est engagé
à leur donner de l'argent… d'autrui ;
car il sera fort affligé d'être imposé.
Il se chargera de toute la dépense.

MAÎTRE HENRI

Mais j'ai dans la Cité deux proches voisins
qui sont des notaires compétents :
ne s'engagent-ils pas à rédiger
pour rien tous les actes du procès,
indignés qu'ils sont par l'affaire,
pour la raison qu'ils sont tous deux bigames ?

GUILLOT

Qui est-ce ?

MAÎTRE HENRI

Colart Foutsadame
et Gilles de Bouvignies.
Ils instrumenteront à l'envi
et plaideront tous deux pour l'ensemble.

GUILLOT

Eh ! Eh ! Maître Henri, vous aussi
vous avez eu plus d'une femme,
et si vous voulez qu'ils vous aident,
il faut donner de votre argent.

MAÎTRE HENRI

Guillot, vous moquez-vous de moi ?
Par Dieu, je n'ai pas le moindre sou,

Si n'ai mie a vivre granment
Et si n'ai mestier de plaidier.
Point ne me couvient resoignier
Les tailles pour chose que j'aie.
Il prengnent Marïen le Jaie,
Aussi set ele plais assés.

GUILLOS

Voire voir, assés amassés.

MAISTRE HENRIS

Non fai ; tout emporte li vins.
J'ai servi lonc tans eskievins,
Si ne voeil point estre contre aus :
Je perderoie anchois .C. saus
Que g'ississe de leur acort.

GUILLOS

Toudis vous tenés au plus fort :
Che wardés vous, maistre Henri.
Par foi, encore est che bien chi
Uns des trais de la vielle danse.

LI DERVÉS

A ! hai ! Chis a dit c'on me manse
Le geule : je le vois tuer.

LI PERES AU DERVÉ

A ! biaus dous fiex, laissiés ester.
C'est des bigames qu'il parole.

LI DERVÉS

Et vés me chi pour l'apostoile.
Faites le dont avant venir.

LI MOINES

Aimi ! Dieus ! Qu'il fait bon oïr
Che sot la, car il dist merveilles !
Preudons, dist il tant de brubeilles
Quant il est ensus de le gent ?

et je n'ai plus longtemps à vivre ;
aussi n'ai-je pas besoin de plaider.
Je n'ai aucune raison de craindre
les impôts pour ce que je possède.
Qu'ils s'adressent à Marion le Jaie,
qui s'y connaît très bien en procès.

GUILLOT

A vrai dire, vous ne cessez d'entasser.

MAÎTRE HENRI

Pas du tout : c'est le vin qui emporte tout.
Longtemps au service des échevins,
je ne veux pas être contre eux :
j'aimerais mieux perdre cent sous
que de me fâcher avec eux.

GUILLOT

Vous vous mettez toujours du côté du plus fort :
c'est votre habitude, maître Henri.
En vérité, voilà bien encore
un des traits des vieux roublards.

LE FOU

Ho ! Ho ! Cet homme a dit qu'on me serre
le kiki. Je m'en vais le tuer.

LE PÈRE DU FOU

Ah ! mon cher fils, restez tranquille.
C'est des clercs bigames qu'il parle.

LE FOU

Eh bien ! me voici pour le pape.
Faites donc avancer l'autre.

LE MOINE

Ah ! Mon Dieu, qu'il fait bon entendre
ce fou-là, car il tient d'étonnants propos !
Mon brave, dit-il autant de sornettes
quand il est loin des gens ?

LI PERES

Sire, il n'est onques autrement.
Toudis rede il ou cante ou brait,
Et s'i[l] ne set onques qu'il fait,
Encore set il mains qu'il dist.

LI MOINES

Combien a que li maus li prist?

LI PERES

Par foi, sire, il a bien .II. ans.

LI MOINES

Et dont estes vous?

LI PERES

De Duisans.
Si l'ai wardé a grant meschief.
Esgardés qu'il hoche le chief :
Ses cors n'est onques a repos.
Il m'a bien brisiet .II.C.pos,
Car je sui potiers a no vile.

LI DERVÉS

J'ai d'Anseïs et de Marsile
Bien oï canter Hesselin.
Di je voir? Tesmoins ce tatin.

Ai je emploié bien .XXX. saus?
Il me bat tant, chis grans ribaus,
Que devenus sui uns cholés.

LI PERES

Il ne set qu'il [fet] li varlés.
Bien i pert quant il bat sen pere.

LI MOINES

Biaus preudons, par l'ame te mere,
Fai bien : maine l'ent en maison.

LE PÈRE

Monsieur, il n'est jamais autrement.
Il ne cesse de délirer ou de chanter ou de crier.
Et s'il ne sait jamais ce qu'il fait,
encore moins sait-il ce qu'il dit.

LE MOINE

Combien y a-t-il de temps que ce mal l'a pris ?

LE PÈRE

Ma foi, monsieur, il y a bien deux ans.

LE MOINE

Et d'où êtes-vous ?

LE PÈRE

De Duisans.
J'ai eu bien de la peine à le garder.
Regardez-le secouer la tête :
son corps n'est jamais en repos.
Il m'a bien brisé deux cents pots :
il faut dire que je suis potier dans notre village.

LE FOU

J'ai bien entendu Hesselin
chanter Anséis et Marsile.
Dis-je la vérité ? Ce coup en témoigne.

Le fou bat son père.

Je lui en ai bien donné pour trente sous ?
Il me bat tant, ce grand salaud,
que je suis aussi cabossé qu'une boule.

LE PÈRE

Il ne sait pas ce qu'il fait, le pauvre garçon.
On le voit bien puisqu'il bat son père.

LE MOINE

Mon brave, par l'âme de ta mère,
fais une bonne action : emmène-le chez toi.

Mais fai chi avant t'orison
Et offre du tien se tu l'as,
548 *Car il est de veillier trop las;*
Et demain le ramenras chi
Quant un peu il ara dormi.
Aussi ne fait il fors rabaches.

LI DERVÉS

552 *Dist chiex moines que tu me baches?*

LI PERES

Nenil. Biaus fiex, alons * nous ent.*
Tenés, je n'ai or plus d'argent.

Biaus fiex, alons dormir un pau,
556 *Si prendons congié a tous.*

LI DERVÉS
Bau!

RIQUECE AURRIS
Qu'est che? Seront hui mais rïotes?

N'arons hui mais fors sos et sotes?

Sire moines, volés bien faire?
560 *Metés en sauf vo saintuaire.*
Je sai bien, se pour vous ne fust,
Que piecha chi endroit eüst
Grant merveille de faerie:
564 *Dame Morgue et se compaignie*
Fust ore assise a ceste tavle,
Car c'est droite coustume estavle
Qu'eles vienent en ceste nuit.

LI MOINES

568 *Biaus dous sires, ne vous anuit.*
Puis qu'ensi est, je m'en irai.

Mais avant dis ici ta prière
et fais une offrande si tu as de quoi,
car il est épuisé de veiller.
Demain tu le ramèneras ici
après qu'il aura un peu dormi.
D'ailleurs il ne fait que du tapage.

LE FOU

Ce moine te dit-il de me battre ?

LE PÈRE

Pas du tout. Cher fils, allons-nous-en.
Tenez, c'est tout l'argent que j'ai.

Le père donne de l'argent au moine.

Cher fils, allons dormir un peu,
et prenons congé de tous.

LE FOU

Oua ! Oua !

Le fou et son père s'en vont.

RICHESSE AURI

Qu'est-ce qu'il y a ? Va-t-on passer tout le jour en dispute ?
N'aurons-nous de tout le jour que des fous et des folles ?
Mon père, voulez-vous faire une bonne action ?
Mettez à l'abri votre reliquaire.
Je le sais bien : sans votre présence,
depuis un bon moment se déroulerait ici même
un grand spectacle de féerie :
Dame Morgue, avec ses compagnes,
serait maintenant assise à cette table,
car, selon une coutume bien établie,
elles viennent durant cette nuit.

LE MOINE

Mon cher monsieur, ne vous fâchez pas.
Puisqu'il en est ainsi, je m'en irai.

Offrande hui mais n'i prenderai ;
Mais souffrés viaus que chaiens soie
Et que ches grans merveilles voie ;
Nes querrai si verrai pour coi.

RIKECE

Or vous taisiés dont trestout coi.
Je ne cuit pas qu'ele demeure,
Car il est aussi que seur l'eure ;
Eles sont ore ens ou chemin.

GUILLOS

J'oi le maisnie Hielekin,
Mien ensïant, qui vient devant
Et mainte clokete sonnant :
Si croi bien que soient chi pres.

LI GROSSE FEMME

Venront dont les fees aprés ?

GUILLOS

Si m'aït Diex, je croi c'oïl.

RAINNELÉS A ADAN

Aimi ! sire, il i a peril.
Je vauroie ore estre en maison.

ADANS

Tais te ! Il n'i a fors que raison :
Che sont beles dames parees.

RAINNELÉS

En non Dieu, sire, ains sont les fees.
Je m'en vois.

ADANS

Sié toi, ribaudiaus !

CROQUESOS

Me siet il bien li hurepiaus ?

De tout le jour je ne prendrai plus d'offrande,
mais souffrez au moins que je reste ici
et que je voie ces étonnantes merveilles ;
je n'y croirai pas avant d'en avoir eu des preuves.

RICHESSE

Taisez-vous donc et tenez-vous tranquille.
Je ne pense pas que Morgue tarde,
car c'est à peu près l'heure.
Elles sont maintenant en route.

GUILLOT

J'entends la troupe d'Hellequin
qui, me semble-t-il, vient en avant-garde
dans un concert de clochettes :
ils ne doivent pas être loin d'ici.

LA GROSSE FEMME *(sans doute Douce Dame)*

Les fées viendront-elles ensuite ?

GUILLOT

En vérité, je crois que oui.

RAINELET À ADAM

A moi ! Monsieur, nous sommes en danger.
Je voudrais bien être chez moi.

ADAM

Tais-toi ! Il n'y a rien d'anormal :
ce sont de belles dames bien habillées.

RAINELET

Par Dieu, monsieur, non, non, ce sont les fées.
Je m'en vais.

ADAM

Assieds-toi, garnement !

CROQUESOT

La coiffure me va-t-elle bien ?

Qu'est che ? N'i a il chi autrui ?
Mien ensïent, decheüs sui
En che que j'ai trop demouré,
Ou eles n'on[t] point chi esté.*
Dites, me vielle(s) reparee :
A chi esté Morgue li fee,
Ne ele(s) ne se compaignie ?

DAME DOUCE

Nenil, voir, je ne les vi mie.
Doivent eles par chi venir ?

CROKESOS

Oïl, et mengier a loisir,
Ensi c'on m'a fait a entendre.
Chi les me convenra atendre.

RIKECE

A cui iés tu, di, barbustin ?

CROKESOS

Qui ? Jou ?

RIKECE

Voire

CROKESOS

Au roy Hellekin,
Qui chi m'a tramis en mesage
A me dame Morgue le sage,
Que me sire aime par amour.
Si l'atenderai chi entour,
Car eles me misent chi lieu.

RIKECE

Seés vous dont, sire courlieu.

CROKESOS

Volontiers, tant qu'eles venront.
O ! ves les chi !

Que se passe-t-il ? N'y a-t-il personne d'autre ici ?
A ce qu'il me semble, je suis bien attrapé
pour avoir trop tardé,
à moins qu'elles ne soient pas encore arrivées.
Dites-moi donc, vieille recrépie :
la fée Morgue est-elle déjà arrivée,
ainsi que ses compagnes ?

DAME DOUCE

Non, vraiment, je ne les ai pas vues.
Doivent-elles venir par ici ?

CROQUESOT

Oui, et y manger à leur aise :
c'est ce qu'on m'a donné à entendre.
C'est ici qu'il me faudra les attendre.

RICHESSE

Dis-moi, barbichu, au service de qui es-tu ?

CROQUESOT

Qui ? Moi ?

RICHESSE

Oui, toi.

CROQUESOT

Je sers le roi Hellequin
qui m'a envoyé ici porter un message
à Madame Morgue la savante
que mon maître aime passionnément.
Je l'attendrai par ici,
car elles m'ont donné rendez-vous en ce lieu.

RICHESSE

Asseyez-vous donc, sire messager.

CROQUESOT

Volontiers, jusqu'à leur venue.
Oh ! les voici !

RIKIERS

Voirement sont.
Pour Dieu, or ne parlons nul mot.

MORGUE

A ! Bien viegnes tu, Croquesot !
Que fait tes sires Hellequins ?

CROKESOS

Dame, que vostres amis fins,
Si vous salue ; ier de lui mui.

MORGUE

Diex beneïe vous et lui !

CROKESOS

Dame, besoigne m'a carquie
Qu'il veut que de par lui vous die,
Si l'orrés quant il vous plaira.

MORGUE

Croquesot, sié te un petit la ;
Je t'apelerai maintenant.
Or cha, Maglore, alés avant,
Et vous, Arsile, d'aprés li,
Et je meïsmes serai chi,
Encoste vous, en che debout.

MAGLORE

Vois, je suis assie de bout
Ou on n'a point mis de coutel.

MORGUE

Je sais bien que j'en ai un bel.

ARSILE

Et jou aussi.

MAGLORE

Et qu'es che a dire

RIQUIER

Oui, ce sont elles.
Pour l'amour de Dieu, plus un mot !

MORGUE

Ah ! Sois le bienvenu, Croquesot !
Que fait ton maître Hellequin ?

CROQUESOT

Ce que peut faire, Madame, votre loyal amant.
Il vous envoie ses hommages. Je l'ai quitté hier.

MORGUE

Que Dieu vous bénisse tous deux !

CROQUESOT

Madame, il m'a confié une mission
dont il veut que je m'acquitte pour lui ;
je vous en ferai part quand il vous plaira.

MORGUE

Croquesot, assieds-toi là-bas un moment,
je t'appellerai dans un instant.
Allons, Maglore, avancez
et vous, Arsile, suivez-la.
Quant à moi, je m'assiérai ici,
près de vous, au bout de la table.

MAGLORE

Eh bien ! me voici assise à une place
où l'on n'a point mis de couteau.

MORGUE

Mais moi, je le vois, j'en ai un beau.

ARSILE

Moi aussi.

MAGLORE

Que signifie donc

Que nul n'en a ? Sui je li pire ?*
Si m'aït Diex, peu me prisa
Qui estavli ni avisa
Que toute seule a coutel faille.

MORGUE

Dame Maglore, ne vous caille,
Car nous de cha en avons deus.

MAGLORE

Tant est a mi plus grans li deus,
Quant vous les avés et je nient.

ARSILE

Ne vous caut, dame : ensi avient.
Je cuit c'on ne s'en donna garde.

MORGUE

Bele douche compaigne, esgarde
Que chi fait bel et cler et net.

ARSILE

S'est drois que chiex qui s'entremet
De nous appareillier tel lieu
Ait biau don de nous.

MORGUE

Soit, par Dieu.
Mais nous ne savons qui chiex est.

CROKESOS

Dame, anchois que tout che fust prest,
Ving je chi si que on metoit
Le tavle et c'on appareilloit ;
Et doi clerc s'en entremetoient,
S'oï que ches gens apeloient
L'un de ches deus Riquece Aurri,
L'autre Adan, filz maistre Henri ;
S'estoit en une cape chiex.

qu'il n'y en ait pas ? Suis-je inférieure ?
En vérité, il m'estimait peu
celui qui a décidé et résolu
que je serais la seule à manquer de couteau.

MORGUE

Dame Maglore, ne vous tourmentez pas,
puisque nous, de notre côté, en avons deux.

MAGLORE

Je suis d'autant plus vexée
que vous en avez toutes deux et moi pas.

ARSILE

C'est sans importance, madame : cela arrive.
A mon avis, c'est un simple oubli.

MORGUE

Ma très chère amie, regarde
comme ici tout est beau, clair et propre.

ARSILE

Il est juste que celui qui s'emploie
à nous préparer un tel endroit
reçoive de nous un beau cadeau.

MORGUE

Soit, par Dieu.
Mais nous ne savons qui c'est.

CROQUESOT

Madame, tout n'était pas prêt
quand je suis venu ici : on était en train
de dresser et d'apprêter la table.
Deux clercs s'y employaient,
j'ai entendu que ces gens appelaient
l'un d'eux Richesse Auri
et l'autre Adam, le fils de maître Henri.
Ce dernier portait une cape.

ARSILE

*S'est bien droit qu'i[l] * leur en soit miex*
Et que chascune un don i meche.
Dame, que donrés vous Riqueche ?
Commenchiés.

MORGUE

Je li doins don gent :
Je voeil qu'il ait plenté d'argent ;
Et de l'autre voeil qu'il soit teus
Que che soit li plus amoureus
Qui soit trouvés en nul païs.

ARSILE

Aussi voeil je qu'il soit jolis
Et bons faiseres de canchons.

MORGUE

Encore faut a l'autre uns dons.

Commenchiés.

ARSILE

Dame, je devise
Que toute se marcheandise
Li viegne bien et monteplit.

MORGUE

Dame, or ne faites tel despit
Qu'il n'aient de vous aucun bien.

MAGLORE

De mi certes n'aront il nient.
Bien doivent falir a don bel,
Puis que j'ai fali a coutel.
Honnis soit qui riens leur donra !

MORGUE

A ! dame, che n'avenra ja

ARSILE

Il est juste qu'ils en retirent un profit
et que chacune de nous fasse un don.
Madame, que donnerez-vous à Richesse ?
A vous de parler d'abord.

MORGUE

Je lui fais un joli cadeau :
je veux qu'il ait beaucoup d'argent ;
et l'autre je veux qu'il soit
le plus grand amoureux
qu'on puisse trouver dans le monde.

ARSILE

Je veux aussi qu'il soit enjoué
et habile à composer des chansons.

MORGUE

Il faut encore un don pour l'autre.

Elle s'adresse à Arsile.

Allez-y.

ARSILE

Madame, je décide
que tout son commerce
marche bien et prospère.

MORGUE, *s'adressant à Maglore.*

Madame, ne soyez pas si amère
qu'ils n'obtiennent de vous aucun cadeau.

MAGLORE

De moi, c'est sûr, ils n'auront rien.
Ils doivent bien se passer d'un beau cadeau,
puisque je me suis passée de couteau.
Honni qui leur donnera quelque chose !

MORGUE

Ah ! Madame, il est impossible

Qu'il n'aient de vous coi que soit.

MAGLORE

Bele dame, s'il vous plaisoit,
Orendroit m'en deporteriés.

MORGUE

Il couvient que vous le fachiés,
Dame, se de rien nous amés.

MAGLORE

Je di que Riquiers soit pelés
Et qu'il n'ait nul cavel devant.
De l'autre, qui se va vantant
D'aler a l'escole a Paris,
Voeil qu'i[l] * *soit si atruandis*
En le compaignie d'Arras
Et qu'il s'ouvlit entre les bras
Se feme qui est mole et tenre,
Et qu'il perge et hache l'aprenre
Et meche se voie en respit.

ARSILE

Aimi ! Dame, qu'avés vous dit ?
Pour Dieu, rapelés ceste cose.

MAGLORE

Par l'ame ou li cors me repose,
Il sera ensi que je di.

MORGUE

Certes, Dame, che poise mi.
Mout me repenc, mais je ne puis,
C'onques hui de riens vous requis.
Je cuidoie, par ches deus mains,
Qu'il deüssent avoir au mains
Chascuns de vous un bel jouel.

MAGLORE

Ains comperront chier le coutel
Qu'il ouvlïerent chi a metre.

qu'ils n'obtiennent pas de vous le moindre cadeau.

MAGLORE

Ma chère Dame, si c'était votre plaisir,
pour aujourd'hui vous m'excuseriez.

MORGUE

Vous ne pouvez pas vous dérober,
Madame, si vous nous aimez un peu.

MAGLORE

Je décide que Riquier perde ses poils
et tous ses cheveux sur le devant.
Quant à l'autre qui se vante sans cesse
d'aller étudier à Paris,
je veux qu'il s'encanaille tellement
parmi les gens d'Arras
et qu'il s'oublie dans les bras
de sa femme qui est voluptueuse et tendre,
au point qu'il déteste et haïsse l'étude
et qu'il ajourne son voyage.

ARSILE

Hélas ! Madame, qu'avez-vous dit ?
Par Dieu, révoquez votre souhait.

MAGLORE

Par l'âme qui me fait vivre,
il en sera comme je dis.

MORGUE

En vérité, Madame, j'en ai de la peine.
Je me repens fort — mais que faire ? —
de vous avoir fait une requête aujourd'hui.
Je m'imaginais, par ces deux mains-ci,
que chacun d'eux dût obtenir
de vous au moins un beau joyau.

MAGLORE

Ils paieront cher au contraire le couteau
qu'ils ont oublié de me mettre ici.

MORGUE

Croquesot.

CROKESOS

Dame.

MORGUE

Se t'as lettre
Ne rien de ton seigneur a dire,
Si vien avant.

CROKESOS

Diex le vous mire !
Aussi avoie je grant haste.
Tenés.

MORGUE

Par foi, c'est paine waste.
Il me requiert chaiens d'amours,
Mais j'ai mon cuer tourné aillours.
Di lui que mal se paine emploie.

CROKESOS

Aimi ! Dame, je n'oseroie :
Il me geteroit en le mer.
Ne pourquant ne poés amer,
Dame, nul plus vaillant de lui.

MORGUE

Si puis bien faire.

CROKESOS

Dame, cui ?

MORGUE

704 Croquesot !

CROQUESOT

Madame.

MORGUE

Si tu as une lettre
ou quelque chose à me dire de la part de ton maître,
approche-toi.

CROQUESOT

Que Dieu vous le rende !
J'en avais grande envie.
708 Tenez.

Croquesot remet une lettre à Morgue qui la lit.

MORGUE

Ma foi, c'est peine perdue.
Il requiert dans cette lettre mon amour ;
mais j'ai de l'inclination pour un autre.
Dis-lui qu'il perd son temps.

CROQUESOT

712 Hélas ! Madame, je n'oserais pas :
il me jetterait à la mer.
Quoi qu'il en soit, vous ne pouvez aimer,
Madame, quelqu'un de plus valeureux que lui.

MORGUE

716 Si, je le puis.

CROQUESOT

Qui donc, madame ?

MORGUE

Un demoisel de ceste vile,
Qui est plus preus que tex. C. mile
Ou pour noient nous traveillons.

CROKESOS

Qui est il?

MORGUE

Robers Soumeillons,
Qui set d'armes et du cheval.
Pour mi jouste amont et aval
Par le païs a tavle ronde.
Il n'a si preu en tout le monde
Ne qui s'en sache miex aidier.
Bien i parut a Mondidier
S'il jousta le miex ou le pis.
Encore s'en dieut il ou pis,
Ens espaules et ens es bras.

CROKESOS

Est che nient uns a uns vers dras,
Roiiés d'une vermeille roie?

MORGUE

Ne plus ne mains.

CROKESOS

Bien le savoie.
Me sire en est en jalousie
Tres qu'il jousta a l'autre fie
En ceste vile, ou Marchié droit.
De vous et de lui se vantoit;
Et tantost qu'il s'en prist a courre,
Me sires se mucha en pourre
Et fist sen cheval le gambet
Si que caïr fist le varlet
Sans assener sen compaignon.

MORGUE

Un jeune seigneur de cette ville,
plus vaillant que bien cent mille autres
pour qui nous nous tourmentons inutilement.

CROQUESOT

Qui est-ce ?

MORGUE

Robert Sommeillon
qui se connaît en armes et en chevaux.
Pour moi il participe, par monts et par vaux,
dans la région, aux tournois de la Table ronde.
Personne au monde n'est si vaillant,
personne ne sait mieux se tirer d'affaire.
On vit bien à Montdidier
s'il était le meilleur ou le pire des jouteurs.
Il en a encore mal à la poitrine,
dans les épaules et dans les bras.

CROQUESOT

N'est-ce pas quelqu'un avec un habit vert
barré d'une raie rouge ?

MORGUE

Exactement.

CROQUESOT

J'en étais sûr.
Mon maître est jaloux de lui
depuis le tournoi de l'autre jour,
dans cette ville-ci, en pleine place du Marché.
L'autre se vantait de ses relations avec vous ;
aussitôt qu'il se mit à courir,
mon maître se cacha dans la poussière
et fit un croc-en-jambe à son cheval.
si bien que le jeune homme tomba
sans atteindre son adversaire.

MORGUE

> *Par foi, assés le dehaign' on**
> *Non pruec me sanle il trop vaillans,*
744 *Peu parliers et cois et chelans,*
> *Ne nus ne porte meilleur bouque.*
> *Li personne de li me touque*
> *Tant que je l'amerai. Que vaut che ** ?*

ARSILE

748 *Le cuer n'avés mie en le cauche,*
> *Dame, qui pensés a tel home :*
> *Entre le Lis, voir, et le Somme,*
> *N'a plus faus ne plus buhotas,*
752 *Et se veut monter seur le tas*
> *Tantost qu'il repaire en un lieu.*

MORGUE

> *S'est teus ?*

ARSILE

> *C'est mon.*

MORGUE

> *De le main Dieu*
> *Soie jou sainnie et benite !*
756 *Mout me tieng ore pour despite*
> *Quant pensoie a tel cacoigneur*
> *Et je laissoie le gringneur*
> *Prinche qui soit en faerie.*

ARSILE

760 *Or estes vous bien conseillie,*
> *Dame, quant vous vous repentés.*

MORGUE

> *Croquesot.*

CROKESOT

> *Ma dame.*

MORGUE

Oui, je sais, on le dénigre beaucoup.
Mais on a beau dire, je le trouve très valeureux,
peu bavard, paisible et discret,
et nul n'a moins mauvaise langue.
Sa personne me plaît tellement
que je l'aimerai. A quoi bon insister ?

ARSILE

Vous n'avez pas froid aux yeux,
Madame, pour penser à un homme de cet acabit :
entre la Lys et la Somme, c'est certain,
personne n'est plus faux ni plus trompeur,
et il ne pense qu'à se mettre en valeur
dès qu'il arrive quelque part.

MORGUE

Est-il ainsi ?

ARSILE

Oui, sans aucun doute.

MORGUE

Que Dieu, de sa main,
me fasse le signe de la croix et me bénisse !
Me voici digne du dernier mépris :
avoir pensé à aimer un si répugnant coureur
et dédaigné le plus grand prince
qui soit dans le royaume de féerie !

ARSILE

Vous êtes maintenant bien inspirée,
Madame, puisque vous vous repentez.

MORGUE

Croquesot.

CROQUESOT

Madame.

MORGUE

Amistés
Porte ten segnieur de par mi.

CROKESOS

Ma dame, je vous en merchi
De par men grant segnieur le roy.
Dame, qu'est che la que je voi
En chele roe(e)? Sont che gens?

MORGUE

Nenil, ains est esamples gens.
Et chele qui le roe tient
Chascune de nous apartient,
Et s'est, tres dont qu'ele fu nee,
Muiele, sourde et avulee. *

CROKESOS

Comment a ele a non?

MORGUE

Fortune.
Elle est a toute riens commune
Et tout le mont tient en se main.
L'un fait povre hui, riche demain,

Ne point ne set cui ele avanche.
Pour chou n'i doit avoir fianche
Nus, tant soit haut montés en roche;
Car, se chele roe bescoche,
Il le couvient descendre jus.

CROKESOS

Dame, qui sont chil doi lassus
Dont chascuns sanle si grans sire?

MORGUE

Il ne fait mie bon tout dire:
Orendroit m'en deporterai.

MORGUE

Transmets de ma part
toutes mes amitiés à ton maître.

CROQUESOT

Madame, je vous en remercie
au nom de mon illustre maître le roi.
Madame, que vois-je là-bas
sur cette roue ? Est-ce des personnes ?

MORGUE

Non, non, mais de belles allégories.
Celle qui tient la roue
dépend de chacune de nous.
Elle est, depuis sa naissance,
muette, sourde et aveugle.

CROQUESOT

Quel est son nom ?

MORGUE

Fortune.
Tout dépend d'elle,
elle tient le monde entier dans sa main.
Un tel, elle l'appauvrit aujourd'hui et l'enrichit demain,
ignorant tout de celui qu'elle favorise.
Aussi ne doit-on pas avoir confiance en elle,
même monté au faîte des honneurs ;
car, si elle met en branle sa route,
il faut redescendre.

CROQUESOT

Madame, qui sont ces deux hommes là-haut
dont chacun semble un si puissant seigneur ?

MORGUE

Il ne fait pas bon tout dire :
pour le moment, je m'en dispenserai.

MAGLORE

Croquesot, je le te dirai.
Pour chou que courechie sui,
Hui mais n'espargnerai nului,
Je n'i dirai hui mais fors honte.
Chil doi lassus sont bien du conte
Et sont de le vile signeur.
Mis les a Fortune en honnour :
Chascuns d'aus est en sen lieu rois.

CROKESOS

Qui sont il ?

MAGLORE

C'est sire Ermenfrois
Crespins et Jaquemes Louchars.

CROKESOS

Bien les connois, il sont escars.

MAGLORE

Au mains regnent il maintenant
Et leur enfant sont bien venant *
Qui raigner vauront aprés euls.

CROKESOS

Li quel ?

MAGLORE

Vés ent chi au mains deus.
Chascuns sieut sen pere drois poins.

. . . .

Ne sai qui chiex est qui s'embrusque.

CROKESOS

Et chiex autres qui la trebusque
A il ja fait pille ravane ?

MAGLORE

Croquesot, moi, je te le dirai.
Comme je suis en colère,
de la journée je n'épargnerai personne,
je ne ferai, de la journée, que blâmer.
Ces deux là-haut sont les favoris du comte,
ce sont les maîtres de la ville.
C'est Fortune qui les a élevés.
Chacun d'eux dans sa sphère est roi.

CROQUESOT

Qui est-ce ?

MAGLORE

C'est sire Ermenfroi
Crespin et Jacquemon Louchard.

CROQUESOT

Je les connais bien, ce sont des pingres.

MAGLORE

En tout cas, ils règnent actuellement
et leurs enfants prospèrent,
qui voudront régner à leur suite.

CROQUESOT

Lesquels ?

MAGLORE

En voici au moins deux.
Chacun suit les traces de son père.

....

Je ne sais qui est l'homme qui descend.

CROQUESOT

Et cet autre qui dégringole là-bas
s'est-il déjà rempli les poches ?

MAGLORE

Non, c'est Thoumas de Bouriane
Qui soloit bien estre du conte ;
Mais Fortune ore le desmonte
Et tourne chu dessous deseure.
Pour tant on li a courut seure
Et fait damage sans raison.
Meësmement de se maison
Li voloit on faire grant tort.

ARSILE

Pechié fist qui ensi l'a mort.
Il n'en eüst mie mestier,
Car il a laissié son mestier*
De draper pour brasser goudale.

MORGUE

Che fait Fortune qui l'avale ;
Il ne l'avoit point deservi.

CROKESOS

Dame, qui est chis autres chi
Qui si par est nus et descaus ?

MORGUE

*Chis, c'est Leurins li Cavelaus***
Qui ne puet ja mais relever.

ARSILE

Dame, si puet bien parlever
Aucune bele cose amont.

CROKESOS

Dame, volentés me semont
C'a men segneur tost m'en revoise.

MORGUE

Croquesot, di lui qu'il s'envoise
Et qu'il fache adés bele chiere,

MAGLORE

Non, c'est Thomas de Bouriane
qui jusqu'ici était bien vu du comte.
Mais maintenant Fortune le désarçonne
et le renverse sens dessus dessous.
Aussi l'a-t-on attaqué
et lésé injustement.
C'est surtout à ses affaires
qu'on voulait causer un grave préjudice.

ARSILE

Il a commis un péché, celui qui l'a ruiné.
Il n'aurait pas eu besoin de ce malheur,
car il a renoncé à son métier
de drapier pour se faire brasseur de bière.

MORGUE

C'est Fortune qui le fait descendre
sans qu'il l'eût mérité.

CROQUESOT

Madame, quel est donc cet homme-ci
qui est entièrement nu et déchaussé ?

MORGUE

Cet homme, c'est Leurin le Cavelau
qui n'arrive plus à se relever.

ARSILE

Madame, il peut pourtant bien relever
quelque belle chose vers le haut.

CROQUESOT

Madame, le devoir m'ordonne
de m'en retourner sur-le-champ vers mon maître.

MORGUE

Croquesot, dis-lui qu'il se réjouisse
et que toujours la gaieté éclaire son visage,

Car je li iere amie chiere
Tous les jours mais que je vivrai.

CROKESOS

Ma dame, sour che, m'en irai.

MORGUE

Voire, di li hardïement
Et se li porte che present
De par mi. Tien, boi anchois, viaus.

CROKESOS

Me siet il bien li hielepiaus?

ARSILE ou MORGUE*

Beles dames, s'il voüs plaisoit,
Il me sanle que tans seroit
D'aler ent, ains qu'il ajournast.
Ne faisons chi plus de sejour,
Car n'afiert que voisons par jour
En lieu la ou nus hom trespast.
*Alons vers le Pré*** esraument,*
Je sai bien c'on nous i atent.

MAGLORE

Or tost, alons ent par illeuc :
Les vielles femes de le vile
Nous i atendent.

MORGUE

Est chou gille?

MAGLORE

Vés, dame Douche nous vient pruec.

DAME DOUCE

Et qu'est ce ore chi, beles dames?
C'est grans anuis et grans diffames
Que vous avés tant demouré.

car je serai son amie chère
aussi longtemps que je vivrai.

CROQUESOT

Madame, sur ce, je m'en irai.

MORGUE

Oui, dis-le-lui sans crainte
et porte-lui aussi ce cadeau,
de ma part. Tiens, bois d'abord, si tu veux.

CROQUESOT

La coiffure me va-t-elle bien ?

Croquesot s'en va en chantant.

ARSILE *ou Morgue*

Chères dames, si c'était votre plaisir,
il me semble qu'il serait temps
de partir avant le lever du jour.
Ne nous attardons pas davantage ici,
car il ne convient pas qu'en plein jour nous allions
dans des lieux que fréquentent les hommes.
Dirigeons-nous vite vers le Pré.
Je suis certaine qu'on nous y attend.

MAGLORE

Dépêchons-nous d'aller de ce côté-là :
les vieilles femmes de la ville
nous y attendent.

MORGUE

Est-ce une ruse ?

MAGLORE

Voici Dame Douce qui vient nous en parler.

DAME DOUCE

Que se passe-t-il donc, chères dames ?
Quel désagrément, quelle honte
que vous ayez tant tardé !

J'ai annuit faite l'avangarde
Et me fille aussi vous pourwarde
Toute nuit a le Crois ou Pré.
La vous avons nous atendues
Et pourwardees par les rues.
Trop nous i avés fait veillier.

MORGUE

Pour coi, la Douche?

DAME DOUCE

On m'i a fait
Et dit par devant le gent lait,
Uns hom que je voeil manïer.
Mais, se je puis, il ert en biere
Ou tournés che devant derriere,
Devers les piés ou vers les dois.
Je l'arai bien tost a point mis
En sen lit, ensi que je fis,
L'autre an, Jakemon Pilepois
Et, l'autre nuit, Gillon Lavier.

MAGLORE

Alons, nous vous irons aidier.
Prendés avoec Agnés vo fille
Et une qui maint en Chité,
Qui ja n'en avera pité.

MORGUE

Fame Wautier Mulet?

DAME DOUCE

C'est chille.
Alés devant et je m'en vois.

LES FEES CANTENT

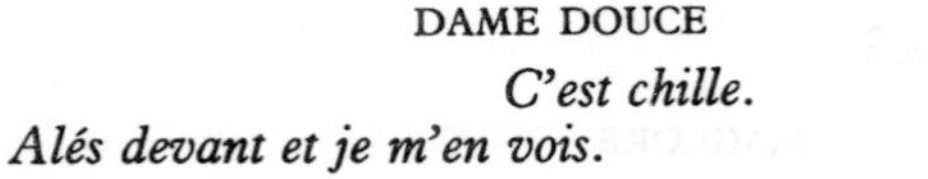
Par chi va la mi-gno-ti-se par chi ou je vois

Cette nuit, je me suis postée en éclaireur,
et ma fille aussi a fait le guet
toute la nuit à la Croix-au-Pré.
Nous vous avons attendues là-bas
et guettées par les rues.
Vous nous avez fait veiller bien longtemps.

MORGUE

Pourquoi donc, la Douce ?

DAME DOUCE

On m'y a, en actes
et en paroles, publiquement outragée,
— un homme que je veux tenir entre mes mains.
Mais, si je peux, il sera dans un cercueil
ou complètement estropié
des pieds comme des mains.
J'aurai bien vite fait de l'arranger
dans son lit, comme
l'année dernière Jaquemon Pilepois
et Gilles Lavier l'autre nuit.

MAGLORE

En route ! nous irons vous aider.
Prenez avec vous votre fille Agnès
et une femme de la Cité
qui n'aura aucune pitié pour lui.

MORGUE

La femme de Gautier Mulet ?

DAME DOUCE

C'est bien elle.
Passez devant, je vous suis.

LES FÉES CHANTENT

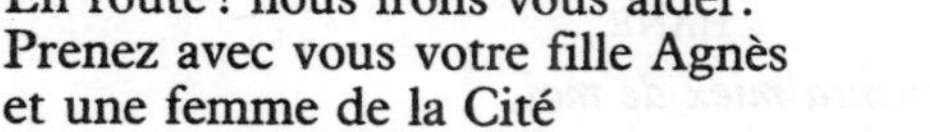
Par chi va la mi-gno-ti-se par chi ou je vois

Par chi va la mignotise,
Par chi ou je vois

LI MOINES

Aimi ! Dieus, que j'ai soumeillié !

HANE LI MERCIERS

Marie ! Et j'ai adés veillié.
Faites, alés vous ent errant.

LI MOINES

Frere, ains arai mengié avant,
Par le foi que doi saint Acaire.

HANE

Moines, volés vous dont bien faire ?
Alons a Raoul Le Waidier :
Il a aucun rehaignet d'ier,
Bien puet estre qu'il nous donra.

LI MOINES

Trop volentiers. Qui m'i menra ?

HANE

Nus ne vous menra miex de moi,
Si trouverons laiens, je croi,
Compaignie qui la s'embat,
Faitiche, ou nus ne se combat :
Adan, le fil maistre Henri,
Veelet et Riqueche * *Aurri*
Et Gillot le Petit, je croi.

LI MOINES

Par le saint Dieu ! et je l'otroi ;
Aussi est chi me cose bien.
Et si vés chi un crespet, tien,
Que ne sai quels caitis offri.
Je n'en conterai point a ti,
Ains sera de commenchement.

Par là va la gentillesse,
par là où je vais.

LE MOINE

Ah ! mon Dieu, comme j'ai dormi !

HANE LE MERCIER

Sainte Marie, moi, j'ai tout le temps veillé.
Allons, dépêchez-vous de partir.

LE MOINE

Oui, mon frère, mais pas avant d'avoir mangé,
par la foi que je dois à saint Acaire.

HANE

Moine, savez-vous ce qu'il faut faire ?
Allons chez Raoul le Waidier :
il a quelque reste d'hier,
peut-être bien qu'il nous en donnera.

LE MOINE

Très volontiers. Qui m'y conduira ?

HANE

Personne ne vous y conduira mieux que moi.
Nous trouverons là-bas, je crois,
des compagnons qui s'y précipitent,
des gens sympathiques dont aucun n'est querelleur :
Adam, le fils de Maître Henri,
Petit-Veau et Richesse Auri,
et Guillot le Petit, je crois.

LE MOINE

Par le saint Dieu, je suis d'accord ;
d'ailleurs, mes affaires marchent bien.
Tiens, voici une petite crêpe
qu'a offerte je ne sais quel pauvre bougre.
Je ne te la compterai pas,
c'est seulement pour commencer.

HANE

Alons ent dont ains que li gent
Aient le taverne pourprise.
Esgardés, li tavle est ja mise,
Et ves la Rikeche d'encoste.
Rikeche, veïstes vous l'oste?

RIKIERS

Oue, il est chaiens. Rauelet!

LI OSTES

Veés me chi.

HANE

Qui s'entremet
Dou vin sakier? Il n'i a plus.

LI OSTES

Sire, bien soiés vous venus!
Vous voeil je fester, par saint Gille!
Sachiés c'on vent en ceste vile.
Tastés, jel venç par eschievins.

LI MOINES

Volentiers, cha dont.

LI OSTES

Est che vins?
Tel ne boit on mie en couvent;
Et si vous ai bien en couvent
Qu'auen ne vint mie d'Aucheure.

RIKIERS

Or me prestés donques un voirre,
Par amours, et si seons bas.
Et che sera chi li rebas
Seur coi nous meterons le pot.

HANE

Allons-y donc avant que les gens
n'aient envahi la taverne.
Regardez, la table est déjà mise,
et voilà Richesse à côté.
Richesse, avez-vous vu le patron ?

RIQUIER

Oui, il est dedans. Raoul !

L'AUBERGISTE

Voilà, voilà !

HANE

Qui s'occupe
de tirer le vin ? Il n'y en a plus.

L'AUBERGISTE *s'adressant au moine*

Monsieur, soyez le bienvenu !
Je veux vous festoyer, par saint Gilles !
Sachez ce qu'on vend dans cette ville.
Goûtez, je le vends sous le contrôle des échevins.

LE MOINE

Avec plaisir. Servez-moi donc.

Le moine boit.

L'AUBERGISTE

Ça, c'est du vin, non ?
On n'en boit pas de tel dans les couvents.
Et je vous le garantis :
ce n'est pas cette année qu'il est venu d'Auxerre.

RIQUIER

Prêtez-moi donc un verre,
je vous en prie, et asseyons-nous par terre.
Et voici le rebord
sur quoi nous poserons le pot.

GUILLOS

C'est voirs.

RIKIERS

Qui vous mande, Gillos?
On ne se puet mais aaisier!

GUILLOS

Che ne fustes vous point, Rikier;
De vous ne me doi loer waires.
Que c'est? Me sires sains Acaires
A il fait miracles chaiens?

LI OSTES

Gillot, estes vous hors du sens?
Taisiés; que mal soiés venus!

GUILLOS

Ho! Biaus hostes, je ne di plus.
Hane, demandés Rauelet
S'il a chaiens nul rehaignet
Qu'il ait d'essoir repus en mue.

LI OSTES

Oil, un herenc de Gernemue,
Sans plus, Gillot, je vous oç bien.

GUILLOS

Je sai bien que ves chi le mien;

Hane, or li demandés le voe.

LI OSTES

Le ban fai que t'ostes le poe
Et qu'il soit a tous de commun.
Il n'affiert point c'on soit enfrun
Seur le vïande.

GUILLOS

Bé! C'est jeus.

GUILLOT

Bonne idée !

RIQUIER

Qui vous parle, Guillot ?
On ne peut plus être tranquille !

GUILLOT

Ah ! ce n'est pas vous, Riquier ;
je n'ai guère à me louer de vous.
Qu'y a-t-il ? Monseigneur saint Acaire
a-t-il fait des miracles ici ?

L'AUBERGISTE

Guillot, avez-vous perdu l'esprit ?
Taisez-vous. Je ne vous souhaite pas la bienvenue.

GUILLOT

Ho, ho ! cher patron, je ne dis plus rien.
Hane, demandez à Raoulet
s'il n'a pas dedans quelque reste
qu'il ait rangé hier soir dans le garde-manger.

L'AUBERGISTE

Oui, un hareng de Yarmouth,
et rien d'autre. Guillot, je vous entends bien.

GUILLOT

En tout cas, je sais que c'est le mien.

Guillot se saisit du poisson.

Hane, réclamez-lui maintenant le vôtre.

L'AUBERGISTE

Je t'intime l'ordre d'enlever la patte
et de partager ce poisson avec tous.
Il n'est pas convenable d'être glouton.

GUILLOT

Bah ! je plaisante.

LI OSTES

Or metés dont le herens jus.

GUILLOS LI PETIS

Ves le chi, je n'en gousterai,

Mais un petit assaierai
Che vin ains c'on le paressiaue.

Il fu voir escaudés en yaue,
Si sent un peu le rebouture.*

LI OSTES

Ne dites point no vin laidure,
Gillot, si ferés courtoisie.
Nous sommes d'une compaignie,
Si ne le blamés point.

GUILLOS LI PETIS

Non fai je.

HANE LI MERCIERS

Vois que maistre Adans fait le sage
Pour che qu'il doit estre escoliers.
Je vi qu'il se sist volentiers
Avoecques nous pour desjuner.

ADANS

Biaus sire, ains couvient meürer;
Par Dieu, je ne le faç pour el.

MAISTRES HENRIS

Va i, pour Dieu! Tu ne vaus mel.
Tu i vas bien quant je n'i sui.

ADANS

Par Dieu, sire, je n'irai hui
Se vous ne venés avoec mi.

L'AUBERGISTE

Reposez donc le hareng !

GUILLOT LE PETIT

Le voici, je n'y toucherai pas.

Guillot pose le hareng.

Mais je goûterai un peu de ce vin
avant qu'on le passe complètement par l'eau.

Guillot goûte le vin.

On l'a déjà échaudé,
mais il sent encore le moisi.

L'AUBERGISTE

Ne dites pas de mal de notre vin,
Guillot, c'est la moindre des politesses.
Nous sommes du même monde ;
aussi ne le critiquez pas.

GUILLOT LE PETIT

Je ne le fais pas.

HANE LE MERCIER

Voyez comme maître Adam fait le sage
parce qu'il va être étudiant !
J'ai connu un temps où il s'asseyait volontiers
parmi nous pour manger un morceau.

ADAM

C'est vrai, cher Monsieur, mais il faut bien mûrir ;
par Dieu, je ne le fais pour autre chose.

MAÎTRE HENRI

Vas-y, parbleu ! Tu n'es pas plus mauvais pour autant.
Tu y vas bien quand je n'y suis pas.

ADAM

Par Dieu, Monsieur, je n'irai pas aujourd'hui,
si vous ne m'accompagnez pas.

MAISTRE HENRIS

Va dont, passe avant. Ves me chi.

HANE LI MERCIERS

Aimi ! Diex, confait escolier !
Chi sont bien emploié denier !
Font ensi li autre a Paris ?

RIQUECE

Vois, chis moines est endormis.

LI OSTES

Et or me faites tout escout :
Metons li ja sus qu'il doit tout
Et que Hane a pour lui jué.*

LI MOINES

Aimi ! Dieu, que j'ai demouré !
Ostes, comment va nos affaires ?

LI OSTES

Biaus ostes, vous ne devés waires ;
Vous finerés molt bien chaiens.
Ne vous anuit mie, g'i pens.

Vous devés .XIJ saus a mi.
Merchïés ent vo bon ami
Qui les a chi perdus pour vous.

LI MOINES

Pour mi ?

LI OSTES

Voire.

LI MOINES

Les doi je tous ?

MAÎTRE HENRI

Va donc, passe devant. Me voici.

HANE LE MERCIER

Hé, hé ! Mon Dieu, quel étudiant !
Voilà de l'argent bien employé !
Les autres, à Paris, se conduisent-ils ainsi ?

RICHESSE

Regardez, ce moine est endormi.

L'AUBERGISTE

Eh bien ! écoutez-moi tous :
portons à son compte toute la dette
en disant qu'Hane a joué pour lui.

Le moine se réveille.

LE MOINE

Ah ! mon Dieu, que je me suis attardé !
Patron, où en est notre compte ?

L'AUBERGISTE

Cher client, vous ne devez pas grand-chose ;
il vous sera facile de payer comptant.
Patience, je m'en occupe.

L'aubergiste fait l'addition.

Vous me devez douze sous.
Remerciez-en votre bon ami
qui les a perdus pour vous.

LE MOINE

Pour moi ?

L'AUBERGISTE

Oui.

LE MOINE

Vous dois-je tout cet argent ?

LI OSTES

Oïl voir.

LI MOINES

Ai je dont ronquiét ?
J'en eüsse aussi bon marchiét,
Che me sanle, en l'Enganerie ;
Et n'a il as dés jué mie
De par mi ni a me requeste.

LI OSTES *

Ves chi de chascun le foi preste
Que che fu pour vous qu'il joua.

LI MOINES

Hé ! Dieus ! A vous confait jeu a,
Biaus ostes, qui vous vaurroit croire !
Mauvais fait chaiens venir boire
Puis c'on cunkie ensi le gent.

LI OSTES

Moines, paiés ; cha, men argent
Que vous me devés. Est che plais ?

LI MOINES

Dont deviegne jou aussi fais
Que fu li hordussens ennuit !

LI OSTES

Bien vous poist et bien vous anuit,
Vous waiterés chaiens le coc,
Ou vous me lairés cha che froc :
Le cors arés et jou l'escorche.

LI MOINES

Ostes, me ferés vous dont forche ?

LI OSTES

Oïl, se vous ne me paiés.

L'AUBERGISTE

Sans aucun doute.

LE MOINE

Ai-je donc vraiment dormi ?
Je m'en serais tiré à aussi bon compte,
je crois, rue des filous.
En tout cas, il n'a pas joué aux dés
en mon nom ni à ma demande.

L'AUBERGISTE

Voyez : chacun ici est prêt à jurer
que c'est pour vous qu'il a joué.

LE MOINE

Hé ! grand Dieu, quel drôle de jeu on aurait avec vous,
cher patron, si l'on voulait vous croire !
Il fait mauvais venir boire ici
puisqu'on y refait ainsi les clients.

L'AUBERGISTE

Moine, payez ; par ici, l'argent
que vous me devez. Cherchez-vous noise ?

LE MOINE

Plutôt me retrouver donc dans l'état
de l'insensé de cette nuit !

L'AUBERGISTE

Même si ça vous déplaît et vous contrarie,
vous attendrez ici le chant du coq
ou vous nous laisserez le froc que voici :
vous garderez le corps et moi l'écorce.

LE MOINE

Patron, me ferez-vous donc violence ?

L'AUBERGISTE

Oui, si vous ne me payez pas.

LI MOINES

Bien voi que je sui cunkiés,
Mais c'est li daerraine fois.*
Parmi chou m'en irai je anchois
Qu'il reviegne nouviaus escos.

LI FISISCIENS**

Moines, vous n'estes mie sos,
Par men chief, qui vous en alés.
Certes, segnieur, vous vous tués :
Vous serés tout paraletique
Ou je tieng a fausse fisique,
Quant a ceste eure estes chaiens.

GUILLOS

Maistre, bien kaiés de vo sens,
Car je ne le pris une nois.
Seés vous jus.

LI FISISCIENS

Cha, une fois
Me donnés, s'i[l] vous plaist, a boire.

GUILLOS

Tenés, et mengiés ceste poire.

LI MOINES

Biaus ostes, escoutés un peu :
Vous avés fait de mi vo preu ;
Wardés un petit mes reliques,
Car je ne sui mie ore riques.
Je les racaterai demain.

LI OSTES

Alés, bien sont en sauve main.

GUILLOS

Voire, Dieus !

LE MOINE

Je vois bien que je suis refait,
mais c'est la dernière fois.
Dans ces conditions, je m'en irai
avant que n'augmente la note.

LE MÉDECIN *qui arrive*

Moine, vous avez bien raison,
par ma tête, de vous en aller.
En vérité, messieurs, vous vous tuez :
vous finirez tous paralytiques,
ou j'affirme que la médecine est fausse,
puisqu'à cette heure, vous êtes encore ici.

GUILLOT

Maître, vous vous égarez tout à fait,
car je me moque de votre médecine.
Asseyez-vous donc.

LE MÉDECIN

Allons, pour une fois,
donnez-moi, s'il vous plaît, un coup à boire.

GUILLOT

Tenez, et mangez cette poire.

LE MOINE

Cher patron, écoutez un peu :
vous vous êtes enrichi à mes dépens ;
gardez quelque temps mes reliques,
car je ne suis pas riche en ce moment.
Je les rachèterai demain.

L'AUBERGISTE

Allez, elles sont en bonnes mains.

GUILLOT

Oui, par Dieu !

LI OSTES

Or puis preeschier :
De saint Acaire vous requier,
Vous, maistre Adan, et a vous, Hane,
Je vous pri que chascuns recane
Et fache grant sollempnité
De che saint c'on a abevré,
Mais c'est par un estrange tour.

LI COMPAIGNON CANTENT

Aia * *se siet en haute tour.*
Biaus ostes, est che bien canté ?

LI OSTES RESPONT

Bien vous poés estre vanté,
C'onques mais si bien dit ne fu.

LI DERVÉS

Ahors ! Le fu ! Le fu ! Le fu !
Aussi bien cante je qu'il font.

LI MOINES

Li chent dyable aporté vous ont !
Vous ne me faites fors damage.
Vo pere ne tieng mie a sage
Quant il vous a ramené chi.

LI PERES AU DERVÉ

Certes, sire, che poise mi ;
D'autre part je ne sai que faire,
Car, s'il ne vient a saint Acaire,
Ou ira il querre santé ?
Certes, il m'a ja tant cousté
Qu'il me couvient quere men pain.

LI DERVÉS

Par le mort Dieu, je muir de fain.

LI PERES AU DERVÉ

Tenés, mengiés dont ceste pume.

L'AUBERGISTE

Maintenant je puis prêcher :
par saint Acaire, je vous sollicite,
vous, maître Adam, et vous, Hane,
je prie chacun de vous de braire
et de célébrer solennellement
ce saint qu'on a arrosé,
mais certes d'une drôle de façon.

LES COMPAGNONS CHANTENT

« Aye est assise au sommet de la tour. »
Cher patron, a-t-on bien chanté ?

L'AUBERGISTE RÉPOND

Vous avez eu raison de vous vanter,
car jamais on ne chanta si bien.

LE FOU

Dehors ! Au feu ! Au feu ! Au feu !
Je chante tout aussi bien qu'eux.

LE MOINE

Ce sont tous les diables qui vous ont amené !
Vous ne me faites que du tort.
Votre père, à mon avis, n'est pas sage
de vous avoir ramené ici.

LE PÈRE DU FOU

Vraiment, sire, j'en suis navré ;
mais je ne sais que faire,
car, s'il ne vient pas à saint Acaire,
où ira-t-il recouvrer la santé ?
De vrai, il m'a déjà tant coûté
que je suis obligé de mendier.

LE FOU

Morbleu, je meurs de faim.

LE PÈRE DU FOU

Tenez, mangez cette pomme.

LI DERVÉS

Vous i mentés, c'est une plume.
Alés, ele est ore a Paris.

LI PERES

Biau sire Diex, con sui honnis
Et perdus, et qu'il me meschiet !

LI MOINES

Certes, c'est trop bien emploiet.
Pour coi le ramenés vous chi ?

LI PERES

Hé ! sire, il ne feroit aussi
En maison fors desloiauté.
Ier le trouvai tout emplumé
Et muchié par dedens se keute.

MAISTRE HENRIS

Diex ! qui est chiex qui la se keute ?
Boi bien ! Le glout ! Le glout ! Le glout !

GUILLOS

Pour l'amour de Dieu, ostons tout,
Car, se chis sos la nous ceurt seure,
. . . .
Pren le nape et tu le pot tien.

RIKECE

Foi que doi Dieu, je le lo bien :
Tout avant que il nous meskieche,
Chascuns de nous prengne se pieche.
Aussi avons nous trop villiét.

LE FOU

Vous mentez, c'est une plume.
Allez, la voici à Paris.

Le fou jette la pomme.

LE PÈRE

Mon Dieu, mon Dieu, comme je suis déshonoré
et ruiné ! Quel malheur que le mien !

LE MOINE

En vérité, vous l'avez bien mérité.
Pourquoi le ramenez-vous ici ?

LE PÈRE

Hélas ! Monsieur, il ne ferait aussi
chez nous que des méchancetés.
Hier, je l'ai trouvé tout couvert de plumes
et enfoui dans son édredon.

MAÎTRE HENRI

Mon Dieu ! Qui est donc celui qui joue des coudes là-[bas ?

Le fou, de l'extérieur, boit dans les verres.

Bois un bon coup ! Quel ivrogne ! Mais quel ivrogne !

GUILLOT

Pour l'amour de Dieu, enlevons tout,
car, si ce fou-là nous attaque,
(il fera de gros dégâts).
Prends la nappe et, toi, tiens le pot.

RICHESSE

Par ma foi en Dieu, je suis de cet avis :
avant qu'il ne nous arrive malheur,
que chacun de nous prenne un objet.
D'ailleurs, nous avons trop veillé.

Retour du moine.

LI MOINES

Ostes, vous m'avés bien pilliét,
Et s'en i a chi de plus riques.
Toutes eures, cha mes reliques :
Ves chi .XII. saus que je doi.
Vous et vos taverne renoi ;
Se g'i revieng, dyable m'en porche !

LI OSTES

Je ne vous en ferai ja forche.
Tenés vos reliques.

LI MOINES

Or cha !
Honnis soit qui m'i amena !
Je n'ai mie apris tel afaire.

GUILLOS

Di, Hane, i a il plus que faire ?
Avons nous chi riens ouvlïé ?

HANE

Nenil, j'ai tout avant osté.
Faisons l'oste que bel li soit.

GUILLOS

Ains irons anchois, s'on m'en croit,
Baisier le fiertre Nostre Dame
Et che chierge offrir, qu'ele flame.
No cose nous en venra miex.

LI PERES

Or cha, levés vous sus, biaus fiex,
J'ai encore men blé a vendre.

LI DERVÉS

Que c'est ? Me volés mener pendre,
Fiex a putain, leres prouvés ?

LE MOINE

Patron, vous m'avez bien volé,
et pourtant il y a ici des gens plus riches.
Quoi qu'il en soit, donnez-moi mes reliques :
voici les douze sous que je vous dois.
Vous et votre taverne, je vous renie.
Si j'y reviens, le diable m'emporte !

L'AUBERGISTE

Jamais je ne vous y forcerai.
Tenez vos reliques.

LE MOINE

Donnez-les.
Honte sur celui qui m'y amena !
Je n'ai pas l'habitude de ces manières.

GUILLOT

Dis donc, Hane, y a-t-il encore quelque chose à faire ?
N'avons-nous rien oublié ici ?

HANE

Non, j'ai déjà tout enlevé.
Faisons plaisir au patron.

GUILLOT

Oui, mais avant nous irons, si l'on m'en croit,
baiser la châsse de Notre-Dame
et offrir ce cierge, afin qu'elle soit illuminée.
Nos affaires en marcheront mieux.

Tous les buveurs s'en vont.

LE PÈRE

Allons, cher fils, levez-vous,
j'ai encore mon blé à vendre.

LE FOU

Quoi ? Vous voulez me mener pendre,
fils de putain, triple canaille ?

LI PERES

Taisiés. C'or fussiés enterés,
Sos puans ! Que Diex vous honnisse !

LI DERVÉS

Par le mort Dieu, on me compisse
Par la deseure, che me sanle.
Peu faut que je ne vous estranle.

LI PERES

Aimi ! Or tien che croquepois.

LI DERVÉS

Ai je fait le noise dou prois ?

LI PERES

Nient ne vous vaut, vous en venrés.

LI DERVÉS

Alons, je sui li espousés.

LI MOINES

Je ne fai point de mon preu chi,
Puis que les gens en vont ensi,
N'il n'i a mais fors baisseletes,
Enfans et garchonnaille. Or fai,
S'en irons a Saint Nicolai :
Commenche a sonner des cloquetes.

EXPLICIT LI JEUS DE LE FUELLIE.

LE PÈRE

Taisez-vous. Ah ! si vous étiez enterré,
fou répugnant ! Que Dieu vous couvre de honte !

LE FOU

Morbleu, on me pisse dessus
de là-haut, à ce qu'il me semble.
Peu s'en faut que je ne vous étrangle.

LE PÈRE

Hélas ! Attrape donc ce coup de bâton.

LE FOU

Ai-je fait le bruit du postère ?

LE PÈRE

Tout ça est inutile, vous viendrez avec moi.

LE FOU

Allons, je suis le marié.

Le fou et son père s'en vont.

LE MOINE

Je ne fais pas mes affaires ici,
puisque tout le monde s'en va
et qu'il ne reste plus que des gamines,
des enfants et de la valetaille. Allons,
partons pour Saint-Nicolas :
commence à sonner tes clochettes.

Le moine s'adresse au petit clerc qui l'accompagne.

FIN DU JEU DE LA FEUILLÉE.

LEÇONS DU MANUSCRIT NON CONSERVÉES

P. 50, * *Ce mot manque dans le ms.*
P. 50, ** *Dans P, le vers 71 manque : nous avons adopté le texte de V.*
P. 52, * *Dans le ms.* vais.
P. 54, * *Dans le ms.* achiest.
P. 54, ** *Dans le ms.*, banches.
P. 60, * *En deux mots dans le texte :* Ermen frois.
P. 64, * *Le mot entre crochets manque dans le ms.*
P. 70, * *Graphie de waires, « guères ».*
P. 70, ** *Dans le m.*, que Diex *est répété et barré.*
P. 74, * les *dans le ms.*
P. 78, * *Dans le ms.*, Si li.
P. 80, * *Dans le ms.*, qui ait.
P. 82, * Fou se dame *dans le ms.*
P. 88, * anons *dans le ms.*
P. 92, * on *dans le ms.*
P. 96, * nen ia *dans le ms.*
P. 98, * *Dans le ms., abréviation de* qui.
P. 100, * qui *dans le ms.*
P. 106, * *Dans le ms.*, dehaignon.
P. 106, ** *Dans le ms.*, que vauche.
P. 108, * anulee *dans le ms.*
P. 110, * venant bien *dans le ms.*
P. 112, * la laissie *dans le ms.*
P. 112, ** Canelaus *dans le ms.*
P. 114, * *Dans le ms.*, dame douce.
P. 114, ** pere *dans le ms.*
P. 118, * *Dans le ms.*, Riquieche *avec* i *exponctué.*
P. 124, ; set *dans le ms.*
P. 126, * yué *dans le ms.*
P. 128, * Hane li Merciers *dans le ms.*
P. 130, * darraine *dans le ms.*
P. 130, ** Maistre Henris *dans le ms.*
P. 132, * *Pour* Aïe.

NOTES

TITRE. *Jus,* « composition dramatique ». Voir A. Henry, éd. du *Jeu de saint Nicolas* de Jean Bodel, p. 185 : « Les plus anciennes attestations authentiques (cf. Tobler-Lommatzsch, sv. *jeu*) se trouvent (...) dans des œuvres artésiennes, selon des mss. tous picards, sauf le B.N. fr. 837. Ce n'est pas s'aventurer tellement que de croire que le mot, avec ce sens, s'est affirmé à Arras dans le dernier quart du XIIIe siècle... » Sans doute était-ce pour Jean Bodel la mise en théâtre originale d'un miracle latin. Mais il ne faut pas méconnaître l'aspect ludique que signale le mot. Voir Henri Rey-Flaud, *Pour une dramaturgie du Moyen Age*, Paris, P.U.F., 1980, pp. 74-75.

Adan. Sans doute le scribe joue-t-il sur ce nom qui peut représenter l'auteur, le personnage, l'homme en général.

1. *Mon abit.* Ce nouveau costume est la cape des clercs parisiens (cf. vers 423), qui symbolise le changement d'état. Cet accessoire de théâtre est le support symbolique du drame du héros qui n'a pas réussi à quitter le vieil homme. « C'est aussi, étymologiquement, l'*habitus :* la manière d'être ; il s'agirait alors de faire coïncider une apparence et une profondeur, un signifiant et un signifié, un vêtement et un corps, dont Adam doit démontrer aux autres la parfaite adéquation... » (A. Leupin, *Le Ressassement,* p. 240).

2. *Clergiet* désigne à la fois l'état de clerc, l'ensemble des clercs et le savoir. « C'est aussi cette braise inspiratrice de la parole littéraire dont les Français avaient hérité, selon Chrétien de Troyes, des Grecs et des Romains » (A. Leupin, *art. cit.,* p. 241).

3. *Avertirai.* « je réaliserai ». Voir les notes d'A. Henry dans les *Mélanges Boisacq, Annuaire de l'Institut de philologie et d'histoire orientales et slaves,* t. V, 1937, pp. 463-465, et de R. Lévy dans *Romance Philology,* t. 5, 1951, pp. 61-64 : « Nous avons affaire à un verbe *avertir* dont le point de départ est le vx fr. *verté* issu du latin *veritate.* Evidemment, il y a eu un télescopage entre ce verbe-là et le verbe *avertir* dont l'étymologie est le latin populaire **advertire* tiré

du latin classique *advertere* par changement de conjugaison... Henry attribue à avertir l'acception « réaliser », mais je voudrais préciser le sens de cette façon « interpréter » en parlant de la réalisation d'un songe, d'une vision, d'une prophétie. » Cf. A. Jeanroy dans *Romania,* t. 64, p. 110, et J. Bastin, *ibidem,* t. 67, p. 392.

Songiet. « ... il y a équivoque dans laquelle le sens se redouble en s'inversant : « projeter », certes, mais aussi, à la lumière de l'ensemble de la pièce, « rêver » : le voyage à Paris, le désir de la véritable clergie n'aura été, lui aussi, qu'un songe, aussi imaginaire et aussi puissant que celui que le poète aura fait à Arras, rêvant (sur) le corps de Maroie » (A. Leupin, *art. cit.,* p. 246).

4. *Congiet.* Adam établit un lien avec ses *Congés.* Voir la préface et notre *Adam de la Halle à la recherche de lui-même...,* pp. 50 sq. ; N. R. Cartier, *Le Bossu désenchanté,* pp. 162-175 ; J. Ch. Payen, *Typologie des genres et distanciation : le double congé d'Adam de la Halle* ; C. Mauron, *Le Voyage d'Adam de la Halle à Paris d'après le Jeu de la Feuillée.*

Si la majeure partie du *Jeu* est faite d'octosyllabes groupés en rimes plates, nous remarquons dans le Prologue deux innovations importantes : du vers 1 au vers 12, trois quatrains d'alexandrins monorimes, et, du vers 35 au vers 182, une succession de rimes embrassées et de rimes plates (abba cc) que nous retrouvons au terme de la féerie (vers 838-875) et à l'extrême fin de la pièce (vers 1094-1099). Sans doute Adam a-t-il voulu rivaliser avec Jean Bodel et avec l'auteur de *Courtois d'Arras,* en manifestant son habileté technique, et signaler l'importance de ces passages. Sur les alexandrins qui donnent au passage une gravité peut-être ironique, voir notre *Adam de la Halle...,* pp. 69-70, et W. Noomen, *Remarques sur la versification du plus ancien théâtre français,* dans *Neophilologus,* t. 40, 1956, p. 193 : « Le quatrain monorime, généralement d'alexandrins, sert en principe aux passages solennels. Ceci suppose une diction plus lente, se rapprochant de la déclamation plutôt que du débit ordinaire et familier. »

5. A rapprocher des *Congés* (éd. Pierre Ruelle), XIII : *Mais il i a maint faus devin / Qui ont parlé de men couvin / Dont je ferai chascun hontex, / Car je ne serai mie tex / Qu'il m'ont jugié a leur ostex / Quant il parloient aprés vin.*

6. *A Paris.* Sur le prestige de Paris, voir notre Rutebeuf, *Poèmes de l'infortune et autres poèmes,* Paris, Gallimard, 1986, pp. 287-288, et ces deux citations, reproduites par Jean Gimpel dans *La Révolution industrielle du Moyen Age,* Paris, Seuil, 1975, p. 171, l'une de J. de Salisbury qui écrivait à Th. Beckett en 1164 : « J'ai fait un détour par Paris. Quand j'ai vu l'abondance de vivres, l'allégresse des gens, la considération dont jouissent les clercs, la majesté et la gloire de l'Eglise tout entière, les diverses activités des philosophes, j'ai cru voir plein d'admiration l'échelle de Jacob dont le sommet touchait le ciel et était parcourue par des anges en train de monter et de descendre. Enthousiasmé par cet heureux pèlerinage, j'ai dû avouer : le Seigneur est ici et je ne le savais pas. Et ce

mot du poète m'est venu à l'esprit : Heureux exil que celui qui a cet endroit pour demeure. » L'autre, de Barthélemy l'Anglais, encyclopédiste du XIIIe siècle : « Paris n'est comparable qu'à Athènes. Comme autrefois la cité d'Athènes avait été la mère des arts libéraux et des lettres, la nourrice des philosophes et de toutes les sciences, telle est aujourd'hui la ville de Paris, non seulement pour la France mais pour toute l'Europe. Dans son rôle de mère de la Sagesse Paris accueille tous ceux qui viennent des quatre coins du monde, les assiste dans leurs besoins et les gouverne en paix. »

Vantés. Introduction d'un motif important, à lier selon A. Leupin, *art. cit.*, p. 247, au souffle, au pneuma.

7. *Revenir* signifiait soit « reprendre connaissance après un évanouissement », soit « retrouver sa lucidité après un accès de folie ». Ces vers annoncent les passages où il est question de l'enchantement de l'amour, conçu comme une maladie, et de la féerie.

8. *Bien* peut s'appliquer aussi bien à *grans* qu'à *ensieut.* Dans ce cas-ci, on traduira : « A une grave maladie succède nécessairement une bonne santé. » Ce vers annonce les scènes où il s'agit de guérir par la médecine ou les reliques. Voir A. Leupin, *art. cit.*, p. 248 : « ... se pourrait-il que, dans la négativité de la maladie, de l'enchantement, de la folie, de la poétique courtoise, se dissimulât la possibilité positive de la santé ? »

9. A rapprocher de la Chanson XXX : *Je plaing souvent le tans que je perdoie / Anchois que je commenchasse a amer ; / Mais douchement me conforte et ravoie, / Et plus me fait de bien faire penser / Li desirriers que j'ai de recouvrer / Le tans que perdu avoie ;* du jeu-parti XI : *Sire, en servant Amours mout mieus m'emploi / Que se jou fuisse escoliers seulement... ;* des *Congés* V : *Vous m'avés bien fait en partie / Se vous m'ostates de clergie ; (...) Ains ai en vo serviche apris, / Car j'estoie nus et despris, / Avant, de toute courtesie.*

10. Le v. *entendre* touche à la fois à la volonté et à l'intelligence : Adam s'est appliqué à aimer loyalement, il a su le faire. L'adverbe *loiaument,* qui concerne autant *entendu* qu'*amer,* est riche de sens : il contient les idées de qualité (c'est la *fin'amor* des troubadours), de fidélité et de légitimité (n'est-ce pas aussi l'amour courtois conjugal tel que le concevait Chrétien de Troyes ?).

11. Ce proverbe se retrouve dans d'autres œuvres du Moyen Age. Ainsi dans la br. VI du *Roman de Renard,* 85-96, éd. Martin, où nous avons une suite de proverbes : *Mes maintefois ei oï dire / Qu'aprés grant joie vient grant ire / Et aprés mol vent vente bise, / Tant va pot a l'eve qu'il brise ; / Or quit le bien, sire Renart, / Qu'il est brisiez de vostre part / (...) Renart, fait il, a ton viaire / Senbles bien home debonaire. / Bien pert as tez quex est li poz, / Que tu es plus enflez que boz.* Voir aussi *Mariage Rutebeuf,* 71-72 : *Mes pos est brisiez et quassez / Et j'ai toz mes bons jors / Passez* ». Cf. notre *Adam de la Halle...* p. 69. Pour les proverbes, voir Sutherland, p. 420 : « They are phrases so commonly employed in the generalising *amplification*

usual in Old French style that their purely stylistic value cannot be lightly dismissed. The emphasis on these decorative phrases leads M. Adler to overlook the plain statement which does appear to contain the kernel of the play : *Mais je voeil a vous tous avant prendre congiet.* » Cf. aussi notre *Adam de la Halle*, pp. 120-121 ; N. Fr. Regalado, *Poetic patterns in Rutebeuf, passim.*

12. Sur la rupture de ce vers, voir Ch. Méla, *Blancheflor et le saint homme*, Paris, Le Seuil, 1979, p. 92 : « Le douzième vers qui aurait dû clore la strophe du *Congé* se rompt lui-même pour faire place à la trivialité et aux bons mots de répliques qui nous rappellent au théâtre. »

Caitis conserve son sens premier de prisonnier : « Malheureux qui es prisonnier d'Arras, de ses habitudes, de son esprit, que ferastu à Paris ? »

13. Dans *issi*, à l'idée de « sortir-produire », se superpose celle de « sortir-échapper à ». Ce qui fait dire à A. Leupin, *art. cité*, p. 250 : « Jamais bon clerc n'est sorti d'Arras : en conséquence, tous les serviteurs de clergie *y sont restés*. Grâce à la double entente, la ville se transforme en lieu privilégié de la littérature... nul besoin de partir : c'est en restant à Arras qu'Adam fondera une nouvelle poétique (propre, peut-être, à produire *Le Jeu de la Feuillée*) et trouvera le secret de Littérature. »

14. *Le*, ambigu, représente soit *bons clercs*, soit toute l'idée du vers 12.

16-18. Adam joue sur les mots *soutieus*, qui s'applique à un clerc ingénieux, subtil, mais aussi à une livre (*libra subtilis*), *livre*, à la fois un livre (livre d'un écrivain et livre de compte) et une livre (poids et monnaie), *le*, en picard article féminin autant que masculin. Voir sur ce point notre livre, pp. 124-125 et surtout l'art. de G. Colon dans la *Revue de Linguistique romane*, 1967 pp. 308-315 : « ... il existait deux livres, la livre grosse pour les marchandises lourdes, probablement celles qu'on pesait à la romaine, et la livre subtile pour peser à la balance les épices et les autres denrées fines. Partout, quelles qu'aient été les valeurs selon les contrées, la livre subtile était d'un poids inférieur à celui de la livre grosse (...) Le dialogue se situe sur deux plans intellectuels distincts, et le jeu de mots est possible parce qu'aucune contrainte grammaticale ne vient l'entraver. Adam loue la subtilité de pensée que manifeste Rikier Amion dans son livre. Pour l'esprit plus pratique de Hane, le mot *livre* évoque tout naturellement l'idée de poids, de la livre qu'il connaît mieux. Encore s'agit-il de la moins lourde, de la subtile en effet, celle qui ne vous en donne pas plus que pour deux deniers et qui suffirait amplement à peser Rikier et sa clergie. »

L'adjectif *subtil* est devenu un des mots clés de la fin du XIIIe siècle et du XIVe siècle. Voir les livres de Pierre-Yves Badel, *Le Roman de La Rose au XIVe siècle*, Genève, Droz, 1980, et de Jacqueline Cerquiglini, « *Un engin si soutil* ». *Guillaume de Machaut et l'écriture au XIVe siècle*, Paris, Champion, 1985, pp. 7-11. Voir en particulier la définition de P.-Y. Badel : « Une œuvre subtile est difficile. Elle est lourde du poids de la science antique. Elle exige réflexion. Elle est pleinement un texte, à traiter comme tel, à gloser. Posons qu'il faut lire dans le texte d'autres textes seconds, et plus profonds, et dans le « mistère » la vérité — ou des vérités. »

D'autre part, Gautier de Coinci (*De l'empeeris qui garda sa chasteté contre mout de temptacions*, éd. Koenig, t. III, pp. 303-459) oppose la sagesse à la subtilité :

J'apel ci sens subtilité :
Sages selonc la vérité
N'est nus se Dieu ne crient et doute.
Tost qui Dieu crient fors de lui boute
Et fol pensé et fol delit,
Mais cil de cui cis livres lit
Sages n'ert pas de tel savoir (vers 261-267).

Plus loin, il parle du diable qui est « veissiez et soutis a tous maus faire » (vers 614-615).

21. *Muavle kief.* Voir Cartier, pp. 115-116.

24-28. Le redoublement des propos, accentué par le *Che me sanle*, doit suggérer que le personnage d'Adam veut se persuader de certaines réalités et décisions.

On rapprochera le vers 25 des vers 86-87 du *Jeu de Robin et Marion : Cuideriés empirier de moi, / Qui si loing getés ma proiere ?*

26. Rappel discret du proverbe : *Au besoing voit on l'ami*, et tour stéréotypé (cf. *Congés*, v. 103, *Roman de Renard*, branche XI, éd. Martin, v. 1932).

29. *Séjour* comporte un double sens : c'est à la fois le délassement, le plaisir comme le dit J. Bastin dans c.r. du lexique de G. Mayer, et le fait de s'attarder, de perdre son temps. *Joie* précise les intentions de l'auteur par l'emploi parodique d'un mot de la poésie courtoise qu'il serait bon de mettre entre guillemets, et qui est le *joi d'amour*, « mot clef de l'imagerie des troubadours » (Moshé Lazar, *Amour courtois et fin'amor*, p. 103).

30. *L'aprendre*, infinitif substantivé, désigne la science et la philosophie, peut-être, comme on l'a soutenu, le culte des Idées à la manière des platoniciens ou, plutôt, la culture encyclopédique et la science de type aristotélicien. Cf. notre *Adam de la Halle*, pp. 116-117.

31. *Engien*, c'est notre mot *engin*, qui signifia d'abord « intelligence, talent ». Le mot, se dépréciant, a pris le sens de « ruse ». D'autre part, il a pu désigner le produit concret de l'intelligence, tant des machines de guerre que des pièges pour la chasse et la pêche.

33. Cf. *Courtois d'Arras*, vers 262-263 : *Avés vous dont borse trovee ? / Por Diu pensés del bien escorre !*

34. *Pagousse*, sans doute terme à coloration argotique et vulgaire, que le *FEW* rattache à *pagus* et que l'*AFW* traduit par *Landsmännin*, « compatriote, payse ».

35. *Commere* est à prendre dans un sens précis (Maroie et Guillot sont la marraine et le parrain d'un même enfant) et dans un sens plus large : ils ont certaines affinités de goûts.

37. Le mot *Maistres,* dans la bouche de Guillot, est sans doute ironique.

43. *Espanir* est traduit habituellement par « sevrer » ; cf. *Chanson XIII,* str. V, d'Adam : *...vos vairs ex, rians a l'entrouvrir / Seant en une face colourée / Dont je ne puis iex et cuer espanir.* Mais il se peut qu'il faille conserver l'idée d'*épanouir,* et l'on traduira vulgairement « pour la faire jouir ».

44. *Vit* manque dans le manuscrit *P.*

50. Evocation du meunier qui *engrène,* qui met les grains dans la trémie, d'où le blé tombe peu à peu entre les meules du moulin. A l'origine existaient deux verbes, *engrener* et *encrener,* liés respectivement à *grain* et à *cran :* ils ont fini par se confondre (P. Höybye dans les *Mélanges Blinkenberg*). Cf. Adam de la Halle, le *Dit d'Amours* (v. 71) : *A l'engrener ne me connui.*

51. *Dire adevinaille,* « parler comme un devin, au hasard, sans réfléchir ».

52. *Aussi com* « environ, à peu près comme, autant dire ». Cf. A. Henry, éd. des *Œuvres d'Adenet le Roi,* t. V, *Cléomadès,* vol. II. *Introd., notes, tables,* Bruxelles, 1971, p. 761.

Par chi le me taille. Expression des tailleurs de pierre, « sans dévier de la ligne droite » ; donc tout à fait comme le tailleur qui dit (en laissant à un autre la difficulté de le faire) « taille-le bien droit comme ceci ! » (A. Henry, *Chrestomathie de la littérature en ancien français,* II, p. 85). On trouve l'expression dans le *Respit de la mort* de Jean Le Fèvre, vers 2308-2309 : *Qui weult mariage contraire, / Ce samble par chy le me taille,* que G. Hasenohr-Esnos (Paris, Picard, 1969, p. 248) traduit par « agir inconsidérément, sans réflexion... », dans la *Disputaison du Croisé et du Décroisé* (vers 217-218) : *Ausi com par ci le me taille / Cuides foïr d'enfer la flame,* et dans le *Dit de Pouille* de Rutebeuf (v. 31) : *Ausi prenons le tens com par ci le me taille,* qu'E. Faral et J. Bastin rendent par « sans nous donner de mal ». Les deux commentateurs citent un sermon de Nicolas de Biard qui manifeste l'hostilité des clercs contre les maîtres d'œuvre et indique clairement le sens originel de l'expression : *Magistri caementariorum virgam et cyrothecas* (plans) *in manibus habentes, dicunt aliis* PAR CI LE ME TAILLE (taille-moi cette pierre à cet endroit) *et nihil laborant et tamen majorem mercedem accipiunt.* (Cf. les notes de P. Meyer dans *Romania,* VI, 1877, p. 498, et G. Paris, *ibidem,* XVIII, 1899, p. 288.) Voir aussi E. Panofsky, *Architecture gothique et pensée scolastique,* Paris, p. 86.

55. C'est un proverbe (Morawski, n° 1873 : *Qui contre aguillon rebelle, deus fois se point*) fréquemment cité : ainsi dans le *Roman de Thèbes,* éd. Constans (vers 4995-4996) : *Qui contre aguillon eschaucire / Dous feis se point, tot tens l'oi dire,* et dans le *Dit d'Amours*

d'Adam : *Deus fois se point / Qui contre aiguillon escauchire* (vers 131-132).

60. *Li cose,* l'amour et la menue monnaie des plaisirs sensuels. Voir l'expression *faire la chose* au sens de « faire l'amour » dans le *Roman de Renard* Ia, 2648, 2717 ; VI, 925. *Saveur :* image culinaire, quelque chose comme notre piment.

61. *Cache,* « chasse, cherche à atteindre ». Cette image du chasseur se retrouve à plusieurs reprises dans les poésies d'Adam (*Chansons* V, VII, XI).

65. Sur les diminutifs, voir P. Zumthor, *Langue et technique poétiques à l'époque romane,* Paris, 1963, pp. 171-178, et J. Blanchard, *La Pastorale en France aux XIVe et XVe siècles,* Paris, Champion, 1983, p. 33.

66. *Topos* du *locus amoenus,* que l'on retrouve dans une chanson d'Adam : *Mar fui a le fontenele / Ou je vous vi l'autre jour / Car sans cuer fui au retour;* dans une pastourelle (éd. Bartsch, n° 67, p. 191) : *Quant voi la flor novele / paroir en la praele, / et j'oi la fontenele / bruire seur la gravele, / lors me tient amors novele / dont ja ne garrai ;* ou dans la traduction française de *Dolopathos* où le héros rencontre une fée : ... *il s'anbat sor une fontainne / Dont l'aigue cort et sainne et bele, / Blanche et nete sor la gravele. / Lai trouvait baignant une fee*... (vers 9231-33).

67. *Maillie* peut se comprendre de deux manières, et sans doute ces deux sens sont-ils concomitants : concassé à coups de maillet, fin, ou scintillant comme les mailles d'une armure. C'est cette seconde explication que préfère Claude Régnier qui voit en *maillie* une réduction de *mailliee,* « scintillant comme des mailles » (*Quelques problèmes de l'ancien picard,* dans *Romance Philology,* XVI, 1961, pp. 255-272).

68-70. Voir A. Leupin, *art. cit.,* pp. 242-243 : « Le topique de mai, caractéristique, entre autres, du grand chant courtois, n'est pas employé ici pour nous préparer à la représentation de la dame, mais à son *avision :* décor pour introduire au rêve du poète ; car Maroie, en tant qu'elle a été désirable, n'aura consisté que dans un songe, un simulacre (...) Ayant fabriqué le fantasme de son désir, le poète, pareil à Pygmalion, tombe amoureux de son propre rêve, du simulacre qu'il a créé : le piège que le narcissisme tend au « créateur » courtois, c'est de lui faire aimer sa propre créature, pur reflet de son imaginaire : le sème du *semblant* scande avec rigueur toute la *descriptio* de Maroie. » .

69. Cf. J. Bodel, *Le Jeu de saint Nicolas,* vers 1185-86 : *Che m'iert ore an avisïon / Del grant tresor le roi meïsmes.*

71. On pourrait, pour traduire, emprunter un vers à T. de Banville, *Ballade des Belles Châlonnaises* dans les *Trente-six ballades joyeuses : ... Tout le reste est neige et cerise.*

76. *Faitures,* dont le pluriel est inhabituel, « en parlant des personnes : aspect, apparence ; il est parfois difficile de déterminer

si le mot indique l'expression du visage, la physionomie ou la forme du corps » (L. Foulet, *Glossaire de la Première Continuation de Perceval*, p. 111).

81. Dans le ms. V, nous avons *Tproupt*, que Foulet traduit par « zut » ou « flûte » (*op. cit.*, p. 303) et qui, pour A. Henry, exprime le dédain et la désinvolture. Cf. *le Jeu de saint Nicolas*, vers 741 et 761, et d'autres références dans l'éd. d'A. Henry.

82. *enoint*. Sens premier : « enduire d'huile ». A-t-il, dans ce passage, le sens d' « ensorceler », comme on le pense souvent ? C'est plutôt celui de « sacrer » (comme un roi), eu égard à la mention de *roïne* au vers 86. Voir *Lancelot*, éd. A. Micha, Genève, Droz, 1978, t. I, p. 29, § 20 : « ... ele est vostre espose et vostre compaigne enointe et sacree loialment come roïne. » Le verbe *enoindre* (par ex. *Erec et Enide*, vers 6859) désigne l'acte essentiel du sacre : l'onction. L'amour sacralise les gens si bien qu'on ne les voit plus avec lucidité et qu'on les pare de grâces imaginaires.

84. Dans les mss. Pb et V, on a *plus grande* au lieu de *si grande*.

87-152. Sur ce portrait, on se reportera, pour plus de détails, à notre livre sur *Adam de la Halle à la recherche de lui-même*, pp. 71-100.

88. *Roit*, non pas « raide », mais « épais » et « ferme ».

Fremïant, du verve *fremïer* (*fermïer, formïer, fromïer*), dérivé du nom *formi* et qui signifie, à l'origine, « s'agiter comme des fourmis ».

91. *bien compassé*, « bien proportionné ». Cf. l'expression *par compas*, « avec exactitude », « avec mesure », « comme il faut ».

92. *Fenestric* : « large et découvert », à rapprocher du v. *fenestrer*, « ouvrir largement ».

93. *Cresté* : ridé comme la crête d'un coq.

95-96. Les mss. Pb et V présentent la leçon que Langlois a adoptée : *et ligniés* (dessinant une ligne régulière) / *De brun poil con trais de pinchel*; *trais* est soit un nom, soit un participe passé, et l'on comprendra : « comme dessinés au pinceau ». Mais il n'y a aucune raison d'écarter la leçon de P : *D'un brun poil pourtrait de pinchel* : il s'agit de sourcils épilés, remplacés par deux traits de pinceau (cf. A. Henry, dans *Romania*, 1954, 75, pp. 243-244).

100. *Vairs* : selon A. Colby, « The one thing that glances, crystal and the eyes of human beings, falcons and horses (tous qualifiés de *vairs*) have in common is their sparkle » (*The Portrait in twelfth-century French Literature*, Genève, 1965, p. 42).

101. *Acaintier, acointier, acuintier* : « faire l'aimable ». *Cointe* a deux grands types de signification : 1/ qui connaît bien quelque chose, prudent, rusé ; 2/ joli, gracieux, aimable. Cf. P. M. Groth, *Altfranzösisch* COINTES *und* ACOINTIER, Munich, 1926.

102. *deliés fauchiaus*. Ce sont les fines paupières ; mais le sens propre du nom était celui de « petit sac, enveloppe, étui » (du latin

follicellus). C'était un mot du Nord-Est, selon Ch. Th. Gossen, *Les mots du terroir chez quelques poètes arrageois du Moyen Age*, dans *Travaux de linguistique et de littérature*, t. 16, 1978, pp. 183-195.

103. *plocons, plochons*, diminutif de *ploich*, « plessis, clôture de branches entrelacées ». Ce sont les petites clôtures que forment les cils.

104. Le sujet d'*ouvrans* est *fauchiaus*. *A dangier*, « à volonté ». Voir Sh. Sasaki, *Dongier, Mutation de la poésie française au Moyen Age*, dans *Etudes de langue et de littérature françaises*, Tokyo, 1974, n° 24, pp. 1-30.

105. Cf. *Bueve de Hantone*, éd. Stimming, t. I, p. 23, vers 749-750 : *Car ainc ne virent si bel ne si plaisant, / Si amorous, si simple, si riant*.

108. Sur *forme* et *figure*, voir G. Paré, *Les Idées et les lettres au* XIII*e* *siècle. Le Roman de la Rose*, Montréal, 1947, pp. 64-65.

110. *Souspiroit :* cf. A. Henry, *op. cit.*, p. 151 : « ... soupirer (d'aise)... ; comp. *Folque de Candie*, éd. Schultz-Gora, v. 6026, soupirer d'orgueil. [E. Langlois traduit « frémir » ; Bartsch-Wiese, *Chrest.*, s. de gaieté « respirer la gaieté »].

111. Cf. *Chanson* d'Adam de la Halle : *Mais vair oeil, blanche maissele, / Rians et vermeille entour*.

112. *foisseles*, « fossettes ». Le mot *foissele* désignait au sens premier un petit panier, et plus particulièrement le petit panier dans lequel on fait égoutter le fromage. Ce mot, selon Gossen, *art. cit.*, p. 191, appartient à l'aire wallonne. Voir manuscrit 12483, fol. 139 : *Ce fu au siecle grant nouvele :/ Dieu prendre char en une ancele, / Dieu alaitier charnel mamele, / Froumage viez metre en foicele*.

114. *Parans* est soit le participe présent de *paroir* « apparaître », soit l'adjectif « remarquable, beau ». *Cuevrekief*, « généralement un voile de toile fine ou de gaze légère » (Gay).

117. Comme E. Langlois et A. Henry, nous avons mis une virgule après *li siens*. Mais on peut comme Fr. Michel et O. Gsell, supprimer toute ponctuation et faire de *li siens* le sujet de *sanloit :* « un visage tel que le sien me semblait alors ».

124. *Sans fossete :* « sans salière ni ride ».

125. *En avalant*, « en descendant » ; cf. L. Foulet, *Avaler et descendre*, dans les *Mélanges Ford*, pp. 25-52.

126. *Haterel*, « nuque » (*FEW*, XVI, 136a) ; en moyen néerlandais, *halter* désignait le licou. Evolution identique à celle de *catenio, chaeignon, chignon :* 1. anneau ; 2a. carcan, 2b. nuque ; 3. masse de cheveux relevés sur la nuque (cf. P. Ruelle, dans les *Mélanges Delbouille*, Gembloux, 1964, t. I, pp. 574-585). Mot appartenant à l'aire picarde.

127. *De maniere :* « à point, assez, de bonne espèce, excellent ». Voir F. Lecoy dans *Mélanges Brunel*, Paris, 1955, t II, p. 120 ;

Romania, t. 51, p. 79; A. Henry, *Chrestomathie*, t. II, p. 136; G. Tilander, *Remarques sur le Roman de Renard*, pp. 41-42 : *de grant maniere* et *de maniere* « comme compl. adverbial d'un adj., se traduisent par « très fort, merveilleusement »; se rapportant à un verbe, elles se rendent par « beaucoup, énormément ». *Ren.* v, 302 *Bestes i ot de grant manere / Faibles et fors, de totes guises*, veut évidemment dire : « Il y eut beaucoup d'animaux, il y eut des animaux en grand nombre ». *Ren.* I, 164M, ...*les lovieres / Furent de bestes si plenieres / Voire certes de grant manieres*, « les louvières étaient toutes pleines d'animaux ». Dans le *Jeu de la Feuillée*, v. 127, on lit : *Haterel... sans poil, blanc et gros de maniere. De maniere* est traduit par E. Langlois au gloss. « avec mesure, convenablement ». Si l'on considère que c'était un signe de beauté pour les femmes d'être grasses (il est dit dans Méon, *NRF*, I, 411, que *corsage, gorge et membres* d'une femme doivent être gras), on se demande si *de maniere* seul dans la même fonction ne veut pas dire « assez », étant un complément adverbial moins fort que *de grant maniere*, « très, fort ».

129. *Encruquier* est un verbe qui signifie « être crochu, en bec, faire saillie », et que l'on peut rapprocher de *croc* (N. Dupire, *Mots rares et Ditz de Molinet*, dans *Romania*, t. 65, p. 16) et du moyen néerlandais *crueke*, traverse de bois fixée perpendiculairement au-dessus d'un bâton, crochet, croix en forme de T, potence (J. Bastin, dans *Romania*, t. 67, p. 393). Selon Ch. Th. Gossen, l'appellation de picardisme ne se justifie pas d'après les données du *F.E.W*. Dans le *Roman de Troie* (vers 5557-5558), il est dit d'une héroïne qu'elle *N'ot pas espaules encroëes* (crochues) / *N'erent trop corbes ne trop lees*.

132. Sur l'expression *c'est del mains*, voir J. Orr, dans *Essais d'étymologie et de philologie romanes*, Paris, 1963, pp. 137-157 : à partir du latin *minimi* ou *minoris est* « cela est de peu d'importance », « cela est négligeable, inefficace, inutile (à faire ou à dire) », « nous sommes en mesure désormais d'établir l'enchaînement associatif plausible que nous avons cherché entre les deux extrêmes, entre un *C'est del meins, minimi* ou *minoris est*, et un *C'est del meins* « assurément ». Pour jalonner cette évolution, il suffit de citer de façon schématique les principales valeurs révélées par nos exemples :

— Cela est d'une importance moindre ou minime, cela importe peu > « Peu importe ! »;
— Cela est insignifiant, négligeable, inefficace > « Cela ne fait rien ! »;
— Cela est inutile (1) à faire > « Pas moyen ! », « Pas mèche ! »;
(2) à dire > « N'en parlons plus ! », « Cela va sans dire »,
« Cela va de soi », « Bien sûr ! », « Bien entendu ! »,
« Assurément ! ».

135. Sur *basse*, voir A. Colby, *op. cit.*, pp. 60-62.

140. *Camuset* « arrondi, rondelet »; « se dit de la rondeur du

sein, ou du galbe des personnes et des animaux » (J. Bastin, *art. cit.*, p. 393).

141. *De point :* « approprié » (O. Gsell), « comme il convient, à point » (A. Henry) plutôt que « en tous points » (E. Langlois).

143. *Fourchele :* clavicule. Il existait une seconde *forcele,* celle de l'estomac, « qui peut être l'épigastre, le creux de l'estomac ou les régions adjacentes, car l'anatomie familière n'est pas toujours très précise, comme le montrent les exemples réunis par Godefroy, *s.v.* FORCELE » (M. Roques, *Entre les dous furceles* (*Roland,* vv. 1294 et 2249) dans les *Mélanges K. Pope,* pp. 321-328).

144. « Ventre saillant et reins cambrés, selon l'idéal du temps (dans la sculpture, cet idéal s'imposera un peu plus tard) de même que la hanche plate, au v. 147. *Rains* peut être féminin en ancien français (d'où, ici, *vauties* et *entaillies*), « reins cambrés, taillés comme les manches... » (A. Henry, *Chrestomathie,* t. II, p. 85). Cf. M. Delbouille, *Le nom du nain Frocin(e), dans les Mélanges I. Frank,* 1957, p. 199.

151. Lieu commun ; cf. *Floris et Lyriopé* (256-257) : *Quant qu'est aval ne vaut pas moins / En son endroit que ce d'amont,* et *Galeran de Bretagne* (1304-1308) : *Et s'il a en li remenant / Ne richesse que Dieux ait mise, / Soubz la pelice ou la chemise, / Que courtoisie me deffent / Que je ne nomme appertement...*

152. *En dar :* « en vain », « à rien », « inutilement ». Cf. Engels, *l'Etymologie de it.* INDARNO, a.fr. EN DAR(T), dans *Neophilologus,* t. 32, 1948, pp. 103-107. Rejetant les étymologies proposées par L. Spitzer (° *darn* germanique) et H. Schuchardt (° *in vanum + in dare* sous l'influence de l'arabe bātil), il ajoute : « Nous savons que les vocables français venant du lat. eccl. ont souvent été freinés dans leur évolution phonétique. C'est pourquoi il n'y a aucun inconvénient à considérer *en dart* avec un *t* purement graphique — comme correspondant à ° *in dare* latin. Il est vrai que *en dart* est beaucoup moins fréquent que *en pardons* et que nous n'avons pas des emplois bibliques attestés. Pourtant cela peut tenir à la circonstance qu'en gallo-roman *dare* a été remplacé par *donare* ». L'ital. *in darno* viendrait de la contamination d'*in dare* par *in vanum.*

152. Voici un autre portrait de femme dans un motet d'Adam : *Chiés bien seans, / Ondés, fremians, / Plains frons, reluisans et parans, / Regars atraians, / Vairs, humelians, / Catillans et frians, / Nés par mesure au viaire afferans, / Bouchete rians, / Vermeillete, a dens blans, / Gorge bien naissans, / Col reploians, / Pis durs et poignans, / Boutine souslevans, / Maniere avenans, / Et plus li remanans / Ont fait tant d'encans / Que pris est Adans* (Ed. de Coussemaker, p. 266, cité par E. Langlois).

158-160. Voir notre *Adam de la Halle...,* p. 105, et, cité par O. Gsell (p. 273), R. Glaser, *Abstractum agens und Allegorie im älteren Französisch,* dans *Zeitschrift für Romanische Philologie,* t. 69, 1953, p. 61.

160. Cf. R. Dragonetti, *Trois motifs de la folie amoureuse confrontés avec les Arts d'aimer,* dans *Romanica Gandensia,* t. 7, 1959, pp. 5-48.

163-164. Parataxe épique (cf. P. Imbs, *Les Propositions temporelles en ancien français,* Paris, 1956) et jeu de mots sur *maistre* et *segneur* (*maistre :* maître ès arts et maître de soi-même ; *seigneur :* mari qui n'a de seigneur que le nom).

170. Sur *Vauchelles,* beaucoup d'hypothèses. Pour H. Guy, ce serait l'abbaye cistercienne, proche de Cambrai, où Adam a pu connaître la vie monacale : sevré du plaisir, il a été emporté par une ardeur plus grande et par une sorte de folie. A. Guesnon y voyait le pays natal de Maroie, Vauchelles-lès-Authie (Somme), à 30 kilomètres au sud-ouest d'Arras, qui serait le lieu où le poète rencontra pour la première fois sa future femme. Mais ce village, comparé à Arras, peut équivaloir à notre Bécon-les-Bruyères. Le plus probable est que ce nom contient une équivoque : comme l'avait vu Tobler (*V.B.*, t. II, p. 201), le mot désignerait les petites vallées du corps féminin ; il peut aussi rappeler des scènes de pastourelle où, en un *vaucel,* le séducteur jouit des faveurs d'une bergère. Voir notre *Adam de la Halle...*, pp. 43-44 et 107, et l'*éd. cit.* d'O. Gsell, p. 275.

Quant à *saveur,* A. Guesnon (*Adam de la Halle,* pp. 176-177) rejette le sens de « sauce », « assaisonnement », pour conserver celui de « saveur », renvoyant au vers 60. En fait, il s'agit bien d'une image culinaire, qui désigne les plaisirs amoureux. Voir *Jeu-Parti,* XII : *... on voit si retenir / Feme tout chou ou sen cuer a enté / Que le saveur a nul jour n'en ouvlie ;* pastourelle n° 79 (éd. Bartsch, p. 207) : *Tout par amor et par douçor / Et par savor de taster / Cessa le plor et la dolor / Et du pastor le parler ;* et à la fin du XVe s., *le Roman de Guillaume* (*les Enfances Guillaume,* éd. H. Theuring, XXV, 8) : « ... quant longuement se furent par grant saveur entrebaisiés et si ardemment eschauffés que ilz estoient comme leux... ».

Voir aussi ces vers du Châtelain de Couci, VII : *Mout voulentiers en preïsse vengance / — Par Dieu le Creatour ! — / Tel que mil foiz la peüsse le jour / Ferir u cuer d'autretele savour.* L'éditeur du texte, A. Lerond, donne à *savour,* le sens de « charme, plaisir ».

171. Vers très important pour A. Adler (p. 3) : il est temps, il est de mon devoir d'échapper à l'aliénation d'Arras pour redevenir maître de moi-même, recouvrer ma vraie personnalité et ma véritable vocation, pour revenir à mon état premier et à ma grandeur originelle.

172. *engroisse*. Double sens de « grossir » et de « tomber enceinte ». Au-delà de ce double sens, lié à la fête carnavalesque, nous trouvons ici l'un des motifs essentiels de la pièce : les personnages sont enflés au physique (maître Henri et quelques autres aux vers 240-245, dame Douche) ou au moral : Adam est *uns pois baiens,* les bigames sont des vantards dont l'enflure verbale est ridicule. Rabelais amplifiera ce motif dans le chapitre I du *Pantagruel.*

173. *Et que li cose plus me coust.* L'aventure du mariage risque de coûter plus cher à Adam financièrement (cf. vers 33) et intellectuellement, mais aussi affectivement : s'il attend, il aura plus de peine à se séparer de Maroie.

178-179. Remarquer la répétition du préfixe *mes-*, à sens négatif, qui modifie la valeur du radical. *Mesquerroie* est le futur hypothétique de *mescroire* « refuser de croire, douter, être incrédule » ; dans ce vers, le mot devient positif grâce à *ne;* mais n'est-il pas intéressant que le poète ait choisi ce tour doublement négatif et assez laborieux ? *Mesquieche* est le subjonctif présent de *mescheoir,* « arriver malheur, être malheureux ». A quoi s'ajoute *mehaing* « défaut physique, mutilation, maladie, infirmité, malheur ». (Cf. *le roi méhaignié* du *Conte du Graal*). Pour compléter ce jeu, Adam introduit *mestier* qui, certes, ne comporte pas de suffixe, mais dont la première syllabe est encore *mes-*. Manière de multiplier les signes de la mutilation.

180. Sur le tour *vaurrai... rescourre,* voir la note de Cl. Régnier, dans son éd. de la *Prise d'Orange* (2e éd., p. 125), à propos du vers 3 de cette chanson de geste,... *Bone chançon que ge vos vorrai dire :* « *Vorrai,* futur dû à une attraction ; la volonté est présente, mais le sujet parlant a dans l'esprit la réalisation de cette volonté qui est future ; autres ex. *A* 1003, *B* 443, *C* 1492, *D* 85. Voir G. Gougenheim, *Etude sur les périphrases verbales de la langue française,* Paris, 1929, pp. 190-193. »

Me perte a le sens collectif de « toutes mes pertes ».

183-184. Pour souligner la perte de son temps, Adam non seulement reprend le vers 9, mais encore le souligne par la répétition de syllabes identiques *tant attendu... ten tans perdu.* Voir notre *Adam de la Halle,* p. 116.

189. On peut comprendre : « Je n'ai plus que 29 livres », ou « Je n'ai pas plus de 29 livres ». Mais *vingt* de *vingt-neuf* introduit un jeu de mots, ce qui explique la question d'Hane *(estes vous ivres ?)* et la réponse d'Henri *(je ne bui hui de vin).*

On remarquera que le refus du père vient détruire presque immédiatement l'injonction : le don refusé condamne le fils à la prison d'Arras. La structure du *doron adoron* se retrouve dans la féerie où Adam et Richesse reçoivent ce qu'ils ont déjà en partage.

190. Cf. Ph. de Beaumanoir, *Oiseuses,* 54 : *Ne menjai hui, ne hui ne bui, / dont il me poise.*

191. *Canebustin.* Sur ce mot discuté (traduit de l'ordinaire par « bouteille entourée d'osier tressé, baril, tonnelet », de là le sens de « ventre, bidon »), voir H. Guy (p. 447) qui nous apprend qu'on avait appliqué ce mot à un usurier, Jean dit *Kanebustin,* et *Romania,* t. 69, 1946, pp. 259-260 : « Le *Kanebustin* est évidemment un objet sur lequel il serait particulièrement difficile de mettre quelque chose « en escrit », mais cela n'éclaire en rien le sens du mot qui a été fort controversé : il désigne, dans les textes recueillis par Godefroy et V. Gay *(Glossaire archéologique)* des récipients propres à contenir des

objets menus ou fragiles, des chandelles, des flacons, des aiguilles. En wallon, où il est encore vivant, il désigne un étui à aiguilles. Gay et E. Langlois... précisent évidemment trop en le traduisant le premier par « bouteille clissée, *i.e.* entourée d'osier », le second par « vase, peut-être baril étroit et long ». M. Långfors, plus prudent, propose « sorte de panier ». Le mot, altéré en *calbotin,* probablement sous l'influence de *picotin,* était encore très vivant à Paris à la fin du XVIIe siècle, puisqu'il a été recueilli par Furetière qui en donne une description que se sont bornés à abréger Littré et Gamillscheg : « espèce de petit panier sans anses, en forme de *picotin* ou cul de chapeau où les cordonniers mettent le fil et les alènes ». Le mot, sous cette même forme *(calbotin),* est encore très usité dans les patois de la Meuse, où la définition de Furetière convient parfaitement à l'objet en question, il faut simplement la préciser en ajoutant que ce petit panier est de forme oblongue, élargi au centre, rétréci aux extrémités, en forme de bateau, et qui sert de « panier à ouvrage ». Cette description nous indique clairement l'étymologie du mot : il est formé de deux racines (quelle qu'en soit l'origine) qui ont donné à l'allemand moderne les mots KAHN et BÜCHSE, pourvus d'un suffixe diminutif (A. Jeanroy) ; p. 263 : « Un mot à peu près identique en wallon (wall. liégeois *canibusté ;* wall. namurois, *canibostia, canibestia, canibwestia*) signifie « étui à aiguilles » (A. Henry).

193. *Qu'i a ? K'i a ? K'i a ? K'i a ?* Même exclamation dans *le Jeu de saint Nicolas,* où l'un des voleurs, Rasoir, s'écrie *Qu'i a ? K'i a ?* (vers 1083). Sans doute l'expression, qui marque la surprise, indignée ou dépitée, se double-t-elle ici d'un jeu de mots grossier avec le passé simple du verbe *chier.* Cette plaisanterie, sous forme d'onomatopée, se retrouve fréquemment à la fin du Moyen Age, comme dans *la Moralité de Charité,* où, lorsque la Mort vient chercher l'avare, le fou s'écrie : *C'est bien chié, chia, chia !* Selon Michel Rousse, « le lien avec *chier* est sûr pour la conscience du locuteur... Mais ce lien est peut-être adventice, il me semble que *kia, kia,* ou *chia chia* est une onomatopée destinée à singer le bavardage à vide, un peu comme notre *taratata,* mais en plus vigoureux. Le caractère onomatopéique (et l'absence de lien avec *Qu'y a*) me paraît se voir dans la possibilité de variantes ». Voir deux exemples dans notre *Sur le Jeu de la Feuillée. Etudes complémentaires,* p. 73, note 13. Cf. aussi H. Espe, *Die Interjektionen im Altfranzösischen,* Berlin, 1908, et A. Henry, *Ancien français et moyen français « Chia ! Chia ! »,* dans *Mélanges R. R. Bezzola,* Berne, 1978.

196. Cf. *Courtois d'Arras,* v. 465 : *Legiers estes et grans et fors.*

197. *A par vous* (*AFW*, VII, 173) : contamination des deux tours *à vous* et *par vous.* Cf. *A par un poi que (par un poi que + a un poi que)* et *pour si grand que (pour grand que + si grand que).*

198. Dans *plains de tous,* on peut trouver plusieurs jeux de mots sur *plain* (1. plein, 2. plaint) et *tous* (1. tout, 2. tous, 3. toux) ; de là

les sens de « plein de toux », « plein de tout » et de « plaint de tous ». O. Gsell (p. 277) a même suggéré de lire : *plains de tous enfers* (*enfers* serait le nom *enfer* et l'adj. *infirme*).

199. *Enfers*. Ce mensonge de maître Henri qui, pour ne pas aider son fils, se dit « infirme », « invalide », révèle, en fait, sa nature profonde : c'est un infirme au double point de vue moral et intellectuel.

rume. Non pas « rhumatisme », mais « humeur, mucosité ».

200. *Li fusiscien*. Il pratique la médecine savante, par opposition au *mire*. Voir *Vie de Thomas Becket*, vers I : *Tuit li fysicien ne sont adès bon mire ;* notre *Adam de la Halle...*, pp. 241-243, et M. Boutarel, *Mires, fisisciens, navrés dans notre théâtre comique depuis les origines jusqu'au* XVI*e* *siècle*, Caen, 1918.

206. *Acanlés* « achalandé, bien fourni en clients ». Mot régional dont il semble impossible de déterminer la couleur. Est-ce un mot populaire ? Il est à rapprocher de *decanler* « perdre ses clients », *canle* « clientèle ». L'*n* vient peut-être de la nasalisation, dans la prononciation négligée, de la voyelle de la syllabe inaccentuée. Le mot appartiendrait à la même famille que *chaland, chaloir*.

Le mot, selon Gossen, *art. cit.*, p. 191, appartient à l'aire wallonne et champenoise.

Quand le médecin se dit *maistres bien acanlés*, le mot de *maistre* est rendu suspect par le fait qu'il a emphatiquement appelé *maistre Henri* son interlocuteur qui vient d'être discrédité.

211. *Ou il n'a respas ne confort*. Il faut comprendre ainsi le processus du comique, accentué par le passage du futur *garirai* au présent *a :* le *physicien* se vante de pouvoir guérir des gens qui n'ont présentement aucun espoir de guérison, voire de soulagement ; dans un second temps, on comprend que ces patients ne peuvent plus guérir du moment que le médecin les a pris en charge.

212-223. Remarquer la structure en chiasme et les échos de ce passage : *Halois* (vers 212 et 223), *lignages* (vers 215) et *lignie* (vers 222). La composition du passage nous amène à penser que la réflexion de Guillot (vers 216-217) n'est qu'un aparté, ou que le médecin ne tient aucun compte de son interruption.

213. Sur *entre lui et Robert Cosiel*, voir l'art. de L. Foulet : la locution présente ici le personnage principal avec un compagnon ; cf. dans le *Roman de Renart*, I, 490-491, Grimbert *por Renart a la cort plaide / Entre lui et Tibert le chat*.

214. De *bietu*, il a été donné plusieurs explications : ce serait une forme de *bestu* « bêta » (E. Langlois), une déformation de *boisteus*, surnom d'un membre de la famille Faverel (A. Guesnon), une contamination de *boisteus* et *liefru*, deux surnoms des Faverel (J. Dufournet) ; peut-être faut-il y voir *becu* « qui a le bec de travers », surnom qui désignait l'un des membres de la famille Faverel (R. Berger).

215 et 222. *Lignages... lignie*. Outre la fonction structurelle de la répétition, celle-ci est comique par l'écart que les mots suggèrent entre le monde féodal de la chanson de geste et la bourgeoisie arrageoise ; de surcroît, elle souligne que l'avarice est héréditaire de génération en génération, et le redoublement *enfant-lignie* amplifie cette idée.

216-217. Voir notre commentaire dans notre *Adam de la Halle...*, p. 247.

218-219. *Ermenfrois... Crespin*. Ce nom, dont les deux composantes se trouvent à la rime, se lit de nouveau, avec un rejet expressif, dans la scène de la roue de Fortune. Ainsi est créé un lien entre les deux scènes qui menacent les patriciens d'Arras dans leur vie et dans leur pouvoir.

220. *traire a leur fin*. Y a-t-il un jeu sur le mot *traire*, comme le pense M. Faure ? Dans un premier temps, on lit : « ils ne font que traire... », c'est-à-dire « soutirer (de l'argent) » ; puis la pensée bifurque dans une autre direction : « ils ne font que tirer à leur fin ». Des points de suspension après *traire* rendraient ce jeu.

226. On retrouve une plaisanterie du même genre dans les *Chansons et dits artésiens* (éd. Roger Berger, Arras, 1981), VIII, vers 13-15 : *De Cabillau le pissonnier / Ki li vendi tel pisson ier, / On i peüst mengier le mort*.

227. *crieve*. Fermant la tirade du médecin, ce verbe, par son caractère expressif, voire grossier, introduit, avec ce qui précède (ton redondant et série *mort-mors tous frois-fin-omicides-muert-mort*), une dissonance qui entame le processus de dégradation du médecin.

229. Sur *preudom*, « homme sage, droit et pieux que distinguent surtout des valeurs morales et spirituelles » (A. Henry, éd. du *Jeu de saint Nicolas*, p. 369), voir, en particulier, J. Crosland, *Prou, preu, preux hom, preud'ome*, dans *French Studies*, t. I, pp. 149-156 ; L. Spitzer, dans *Modern Language Notes*, 1945, pp. 505 et sqq. ; R. Wigand, *Zur Bedeutungsgeschichte von prud'homme*, Marburg, 1939 ; A. Tobler, *Mélanges*, pp. 171 sqq. ; E. Köhler, *L'Aventure chevaleresque*, Paris, 1974, pp. 149-159 ; et notre note dans notre traduction d'Huon le Roi, le *Vair Palefroi*, Paris, 1977.

231. On remarquera que nous avons déjà *oïl*, alors qu'il s'agit d'une première personne, marquée d'abord par *oie*. Dans le ms., nous avons *oïl* aux vers 231, 233, 931, 996 et *oue* au v. 904.

233. *Dieus i ait part*, formule employée au début d'une action ; cf. *Courtois d'Arras*, v. 487 : *Hez avant / que Dieus part i ait*.

234. Sur *le mal saint Lïenart*, les avis sont partagés. Ce peut être l'obésité (E. Langlois), *le mal d'enfant* (H. Roussel) ou *la captivité* (J. Dufournet). Selon E. von Kraemer, *Les Maladies désignées par le nom d'un saint*, Helsingfors, 1950, saint Léonard, ermite, puis fondateur du monastère de Noblat près de Limoges, mourut vers 559. Sa vie se distinguerait par deux traits : il fit de nombreux miracles en faveur de captifs libérés par son intercession ; il aida à

l'accouchement d'une reine que l'on identifie à la reine Clotilde, et dès lors on l'aurait invoqué pour la libération des prisonniers, l'aide aux femmes enceintes, la guérison des malades. De la grossesse, il y aurait eu extension aux maladies qui présentent des symptômes analogues : obésité, hydropsie du péritoine, etc. Mais sans doute convient-il de garder présente l'idée de captivité : le *Jeu* est, pour une part, le drame ou la comédie de ceux qui sont prisonniers d'Arras. Voir : J. de Voragine, *La Légende dorée*, Paris, GF-Flammarion, t. II, pp. 280-284 ; Arbellot, *Vie de saint Léonard, solitaire en Limousin, ses miracles et son culte*, Paris, 1863 ; Oroux, *Histoire de la vie et du culte de saint Léonard du Limousin*, Paris, 1760 ; Boutarel, *La Médecine dans notre théâtre comique*, Caen, 1918, pp. 14-15 ; J. Dufournet, *op. cit.*, pp. 112-115 ; Perdrizet, *Le Calendrier parisien*, pp. 252-253 ; Ph. Walter, *thèse citée*, p. 657.

236. Jeu sur *gesir* qu'a bien vu H. Roussel (p. 281) : « Si le mal saint Liénard est vraiment le mal d'enfant, la suite du dialogue est à double entente : *Maistres, m'en estuet il gesir ?* demande au « fisiscien » le père d'Adam : « Dois-je m'aliter ? » Mais, quand le « fisiscien » répond : *Nenil, ja pour chou n'en gerrés*, les auditeurs, déjà alertés sans doute par le premier *gesir*, devaient comprendre : « Non, vous n'accoucherez pas pour autant. » Il y a sans doute un autre sens : *gesir* ne signifiait-il pas « être étendu dans la tombe » ?

238. *Atirés*, du v. *atirier* (avec réduction de l'*ié* en *é*), « équipés, arrangés » (dans un sens ironique). A distinguer d'*atirer*, dérivé de *tirer*, 1/ attirer vers ; 2/ mettre (près de, sur, dans), confier ; 3/ *soi atirer a*, « se mettre du côté de ». « On peut dire que, à côté de *atirier*, un v. *atirer*, dérivé de *tirer*, a bel et bien existé en a. fr. » (A. Henry, dans *Romania*, t. 79, 1958, pp. 507-510).

239. Sur la *cité*, « domaine ecclésiastique soumis à la juridiction de l'évêque » et la *ville*, industrielle et commerciale, dépendant du comte de Flandre, représentée par un châtelain, en fait régie par une aristocratie de marchands et de banquiers, voir notre *Adam de la Halle...*, pp. 213-215.

244. *Bouchiaus*, c.r.pl., *bouchel*, c.r.s., du latin °*butticellu*, dérivé de *buttis*, « tonneau ». Sens propre : tonneau, baril ; sens dérivé : ventre. Cf. *Chansons et dits artésiens*, XVI, 81 : *N'a fors vent en son boucel*, et *Chansons satiriques*, IX, 29-30 : *Et emplent souvent lor bouciaus / De pain, de vin, de cras morsiaus*.

245. On notera la force expressive de *si* rejeté après *enflé* en fin de vers. Cf. *Berte aus grans piés*, 2160 : *Murdri m'ont mon enfant, Bertain qui m'amoit si* (cité par A. Henry, éd. du *Jeu de saint Nicolas*, à la note du v. 443).

246. Sur *conseillé me*, voir le v. 395 et les travaux de Gossen, p. 122, et de Cl. Régnier, dans *Romance Philology*, t. 14, 1960, p. 270.

252. *Gesir souvine*, « être couchée sur le dos », de là « être couchée avec un homme ». Cf. *Tenir sovine une feme* « faire l'acte amoureux ». Voir Tilander, *Lexique du Roman de Renart*, p. 145.

254. Sur *ribaus,* voir Ph. Ménard, *Le Rire et le sourire dans le roman courtois en France au Moyen Age* (Genève, 1969), p. 721 : « Les termes de *pautonier, truant, ribaut,* qui désignent étymologiquement des vagabonds et des gueux, servent d'injures méprisantes. Elles ne sont pas fréquentes, surtout dans la bouche des personnages sympathiques, des héros de bonne compagnie ». Pour *sire,* L. Foulet, *Sire, messire,* dans *Romania,* t. 71, 1950, p. 213.

256-257. Double sens : dame Douche ne s'est pas prostituée pour de l'argent ou des promesses ; elle l'a fait gratuitement, pour le plaisir.

257. *Mestier : faire le mestier* « se prostituer », « faire l'acte sexuel » ; *feme de mestier,* « prostituée ».

258 sqq. J. Collin de Plancy, *Dictionnaire infernal,* Paris-Lyon, 1844, p. 374, c. 2 : « Onychomancie — divination par les ongles. Elle se pratiquait en frottant avec de la suie les ongles d'un jeune garçon qui les présentait au soleil, et l'on s'imaginait y voir des figures qui faisaient connaître ce qu'on souhaitait savoir. On se servait aussi d'huile et de cire. » Cf. aussi H. Guy, p. 350 et pour la survie du motif, notre c.r. de J.-Cl. Aubailly, *Le Monologue, le Dialogue et la Sottie,* dans la *Revue des langues romanes,* t. 80, 1974, pp. 293-294.

261. *Lieve sus,* soit « lève-toi », soit « lève ton pouce ».

262. *nit.* Subjonctif présent de *ni(i)er* « nettoyer ». Mot du Nord-Est.

268. *Enhenc* comporte un accent de triomphe ironique. Cf. 428, 492 et *Robin et Marion,* 512.

270. *Te rouse teste* « ta tête rousse ». Sur la signification de la couleur rousse, voir, outre les exemples traditionnels de Renard, Judas, Hernaut le Roux et Daire le Roux, les proverbes cités par Leroux de Lincy : *Homme roux et femme barbue / De quatre lieues les salue, / Avec trois pieres au poing / Pour t'en ayder, s'il vient à point / … Homme roux et chien lainu* (ou *pelu*) */ Plutost mort que cognu ; Les Narbonnais,* 2019 : *Et cil respont : Or oi bricon parler. / Veritez est ce que oï conter / Que debonere ne puet on roux trover. / Tuit sont felon ; bien le puis esprover.* ; et, dans la liste des conseils donnés par le roi au jeune chevalier dans le *Ruotlieb,* « premier roman de chevalerie » (XIe siècle), éd. par G.B. Ford, Leyde, Brill, 1966 (trad. en anglais par G.B. Ford, *The Ruotlieb, The First Medieval Epic of Chivalry from Eleventh-Century Germany,* Leyde, Brill, 1965), celui-ci : « Qu'un homme roux ne soit jamais ton ami. S'il se met en colère, il ne pense plus à être fidèle. Car sa colère est terrible et cruelle et ne t'abandonne plus. Nul homme roux n'est si parfait qu'il n'y ait en lui quelque perfidie par laquelle tu ne pourrais éviter d'être souillé. Car qui touche à la poix a peine à en nettoyer son ongle ». Voir F. Neubert, *Die volkstümlichen Anschauungen über Physiognomik in Frankreich bis zum Ausgang des Mittelalters,* dans *Romanische Forschungen,* t. 29, 1911, pp. 557-679. A propos de Foulques

d'Anjou, roi de Jérusalem, Guillaume de Tyr a écrit : « *cest Fouques... rous estoit, mais, encontre la coustume de cele couleur, leaus* (loyal) *estoit et mout piteus* ».

272. *Anwa, auwa* « hélas ». Cf. H. Espe, *op. cit.*

274. Sur *par amours*, voir J. Frappier, *D'amors, par amors*, dans *Amour courtois et Table ronde*, Genève, 1973, pp. 97-128.

278. *Vieus* représente soit *vieils* (« vieux ») soit *vils* (« misérable »). *Vaegna :* c'est le verbe *gagner*.

288. *Gentieus*, graphie de *gentix, gentius*, « noble (de naissance) », « noble de caractère », « généreux », « noble de manières », « gracieux », « aimable » ; ici, emploi ironique. Cf. W.A. Stowell, *Old-French Titles of Respect in Direct Address*, Baltimore, 1908.

288-321. Ce passage sur les femmes d'Arras, qui se termine par l'évocation du couple Adam et Eve, est d'une composition remarquable. Dans un premier temps, fondé sur la structure en chiasme des tirades de Guillot et d'Hane, avec de fines variations.

I. JE TIENG A SENS et a vaillanche
II. Que *les femes* de la Waranche
Se font cremir et resoignier.
III. *Li feme* aussi Mahieu l'Anstier
Qui fu *feme* Ernoul de le Porte
Fait que on le crient et deporte...
IV. Mais JE TIENG son baron A SAGE
Qui se taist...

L'auteur énumère un certain nombre de griefs : enclines à la méchanceté (290), les femmes sont soupçonneuses (291), elles portent la culotte (répétition du verbe *craindre* et de synonymes) et causent la mort de leur mari (297); elles sont violentes (299-300), sensuelles (304), querelleuses (306) et bavardes (307). Dans un second temps, annoncé par le nom d'Aelis au Dragon, tout se rapporte à l'aspect diabolique des femmes, avec un jeu subtil d'alternances : *Dragon — estoile* (pour l'exorcisme) — *deus anemis — uns cas — chent diales*.

A ce sujet, on se rappellera le jugement de Marbode (XIe siècle) : « Parmi les innombrables pièges que notre ennemi rusé a tendus à travers les collines et les plaines du monde, le pire est celui que presque personne ne peut éviter, c'est la femme, funeste cep de malheur, bouture de tous les vices, qui a engendré sur le monde entier les plus nombreux scandales... La femme, doux mal, à la fois rayon de cire et venin d'un glaive enduit de miel, perce le cœur même des plus sages. »

290. *Despoise* « alliage, espèce », se retrouve chez un très grand nombre d'écrivains picards (n'oublions pas, cependant, qu'au XIIIe s., la Picardie est le véritable foyer littéraire de la France du Nord) ; mais il est employé aussi, par exemple, par Guillaume de Diguleville, dont nous savons qu'il était originaire du Cotentin et qu'il a passé ensuite une grande partie de sa vie dans la région de

Châalis » (A. Henry, *Lexicologie géographique et ancienne langue d'oïl*, dans *Romance Philology*, t. 26, 1972, pp. 229 sq.).

292. Tour proverbial ; cf. dans le recueil de J. Morawski, 311 : *Buer est nez cui on doute ; Miracle de Théophile*, 334 : *Il ne vaut rien qui l'en ne doute.*

A Di foy, forme renforcée d'*a foi*, *par foi*, *la moie foi*, etc., « locution qui appuie l'énoncé d'un souhait » (A. Henry, *éd. cit.*, à propos du v. 991). Voir *Saint Nicolas*, 543, 991, 1019, 1039...

300. *Le baillieu de Vermendois*. Ce que nous pouvons savoir en utilisant le tome II des *Institutions françaises* de Lot et Fawtier et *la Monarchie féodale* de Petit-Dutaillis, c'est que, dans le Vermandois annexé par Philippe-Auguste avant 1188, les premiers baillis apparaissent de façon itinérante vers 1191-1201 ; que la circonscription administrative du Vermandois se délimite entre 1234 et 1236, et que le bailli devient unique ; qu'entre 1256 et 1260, le bailli de Vermandois, Matthieu de Beaune, fut l'objet d'une très longue enquête administrative sur sa gestion : défilent 508 témoins, mais il est lavé de tout soupçon.

De tout cela, on pourrait conclure que le bailli de Vermandois était un personnage redoutable et puissant, et que le bailli cité au vers 300 fut ce Matthieu de Beaune dont le procès défraya la chronique dans les années 1260.

301. *Baron* « mari » ; voir notre *Cours sur la Chanson de Roland*, Paris, CDU, 1972, pp. 126-128.

303. Sur *baissele*, *baisselette*, voir A. Grisay, G. Lavis, M. Dubois-Stasse, *Les Dénominations de la femme dans les anciens textes littéraires français*, Gembloux, 1969, pp. 221-223 : « *Baissele*, diminutif de *baiasse*, désignait, à l'instar de celui-ci, une servante. Peut-être s'est-il employé aussi pour une jeune fille. La servante étant souvent une jeune fille, on a pu tout naturellement associer l'idée « jeune » à *baissele* jusqu'à ce que cette idée devînt progressivement un élément prépondérant du mot. En tout cas, cette évolution s'est produite sur le plan dialectal (...). Le sous-diminutif *baisselette* (ou *bachelette* ou encore *bachelote*) « jeune fille, jeune servante » est signalé par Godefroy (VIII, 267) et Tobler-Lommatzsch (I, 807). »

305. *Aelis au Dragon*. Aélis, qui est l'héroïne de chansons de toile et de rondets de carole, est aussi le nom de la Vierge dans les sermons, « car le mot Aélis est formé de *a* privatif et de *lis-litis*, et signifie *sine lite*. A quoi s'ajoute un jeu de mots entre *lis*, le mot latin qui signifie faute, et lis, la fleur. » Hoc nomen Aeliz dicitur ab *a*, quod est *sine*, et *lis-litis*, quasi *sine lite*, sine reprehensione, sine mundana fece (...) Cele est la bele Aeliz, qui est la flors et li liz. *Sicut lilium inter spinas, amica mea inter filias* (Cant. 2, 2) » (Michel Zink, *La Prédication en langue romane avant 1300*, Paris, Champion, 1976, pp. 290-291).

307. Sur *quatre tans*, P. Richard, *TANZ and FOIS with Cardinal Numbers in Old and Middle French*, dans *Studies... to A. Ewert*,

Oxford, 1961, pp. 194-213. Il faut comprendre que « Aelis parle quatre fois plus que Margot » plutôt que « quatre fois plus que son mari », comme le veut Langlois.

308. Une étole pour l'exorciser. Pour éclairer ce vers, voir la br. XIII du *Roman de Renard* (éd. Martin), où le goupil, teint en noir, est pris pour le démon : *Et li prestres l'estole prist, / Meintenant a son col la mist / ...Li prestre l'estole saisist / Qui ne fu esbaïs ne fol, / Renart enlace par le col, / Si le mist hors de sa maison* (vers 4157 *sqq.*); le fabliau *Estula* où le père, appelant le chien Estula et s'entendant répondre : « *Voirement sui je ça* », est frappé d'étonnement et s'écrie : *Par toz sains et par totes saintes, / Fiz, j'ai oï merveilles maintes. / Onques mais n'oï lor pareilles ; / Va tost, si conte cez merveilles / Al prestre, si l'ameine o toi, / Et li di qu'il aport a soi / L'estole et l'eve beneoite ;* Villon, *Ballade en vieil langage francoys,* où le pape *ne saint fors saintes estolles / Dont par le col prend ly mauffez* (387-388) ; la *Farce de Maître Pierre Pathelin :* le héros s'écrie dans son délire feint : *Tu ne vois pas ce que je sens : / Vela ung moisne qui vole ! / Prens le ! Bailles luy une estolle !* Voir R. Holbrook, *Exorcism with a Stole,* dans *Modern Language Notes,* t. 19, 1904, pp. 235 sqq.

311. *Le voe :* pronom possessif refait sur l'adjectif (féminin en 311, neutre en 495, masculin en 934). Cf. Gossen, p. 104 ; Cl. Régnier, p. 270.

315. A rapprocher du *Romanz de Carité* du Reclus de Molliens, p. 107, 9-11 : *Abbes qui laidist et coureche / Autrui, sanle cat qui esproe / Et por esgrater tent la poe.* Voir A. Jeanroy dans *Romania,* t. 67, 1942, pp. 80-87 : *esproer* « éternuer, souffler en éclaboussant, asperger, cracher en soufflant », indique un sifflement accompagné d'un jet de salive. Selon Gossen, *resproer* est un mot du Nord-Est, qui signifie au sens propre « miauler à plusieurs reprises » ; au figuré, « se hérisser, se rebiffer, se mettre en colère ».

Quant au *cas* « chat », qui était aussi un nom de famille arrageois, pour savoir ce qu'il représentait au Moyen Age où il était un animal diabolique, voir notre éd.-trad. de la br. XII du *Roman de Renard,* Paris, Champion, 1989.

318. *Diales,* voir Gossen, § 52 pour le traitement de *-abulu, -abula, -abile* > pic, *-avle, -aule.* DIABOLU > *diavle, diale.* « *Diabolu* subit un traitement spécial : Formerie *diabe,* Démuin *diape,* Saint-Pol *dyap, dyābal,* Lille *diale,* rouchi *diale,* nam. et liégeois *diâle* »

322. Saint Acaire est lié à la folie dans de nombreux textes : *Roman de Renard,* éd. Méon, IV, p. 330 ; *Chansons et dits artésiens,* XIX : *Signor, Sotingheghens est uns mout bons repaires, / Il n'i a nul signor se ce n'est sains Achaires ; / De lui tient on le tere et trestout le païs ; / S'uns hom i devient sages, des autres est haïs... ;* Jean de Condé : *En après bien dire vous ose / Qui (vet) a saint Achaire a Haspre / U on voit dure vie et aspre / Des dervez qui sont desvoié, / Et qui la sont en bers loié ; / La viele oient trop envis ; / Dont n'en veut mie estre servis / Le dyable qu'il ont es cors ;* les *Lamentations de Matheolus,* I, p. 71, 939-941 : *Saint Acaires ama mieulx estre / Des dervés et hors*

du sens quiestre / Que des vefves avoir la garde; E. Deschamps, *le Miroir de mariage,* IX, p. 182 : *Tu seroies plus hors du sens / Que ceuls qu'on maine a saint Acaire;* selon Th. de Cantimpré (*Bonum universale,* XIIIe siècle), un hérétique feignit d'être obsédé par le démon et se fit conduire auprès des reliques du saint pour échapper au bûcher ; Froissart nous apprend (éd. Buchon, XIII, p. 105) qu'on recourut à saint Acaire pour guérir Charles VI : « Et pour honorer le saint, envoyé y fut et apporté un homme de cire, en forme de roi de France, et un très beau cierge et grand, et offert moult devotement et humblement au corps saint, afin qu'il voulût supplier à Dieu que la maladie du roi, laquelle était grande et cruelle, fût allégée. De ce don et offrande, il fut grande nouvelle » ; J. Du Clercq, éd. Buchon, p. 304 : un meurtrier, « combien que on ne avoit oncques ouy parler de sy cruel faict, sy ne feut il point prins par justice, ne ses biens confisqués, mais seulement feut mené a sainct Akare et a sainct Nazare comme hors de son sens ou il feut certains jours. Après lesquels on ne veit oncques en luy faulte de sens, et sembloit aussi raisonnable que ung aultre... » ; *Farce nouvelle très bonne et fort joyeuse,* dans l'*Ancien théâtre fr.*, t. II, p. 124 : le Chaudronnier : *Hélas ! il est tout hors du sens ; / Je ne scay qu'il lui peult faloir.* Le Tavernier : *Comment ? Pourroit il bien avoir / La maladie sainct Aquaire ?*

Sur la confusion entre saint Acaire (ou Achaire), évêque de Noyon et de Tournai, et saint Achard (Aichadre), abbé de Jumièges en Normandie mort environ en 687, dont on transporta les reliques à Haspres (Nord) lors des invasions normandes au IXe siècle, sur le culte du saint, sur ses rapports avec *acariâtre,* voir A. Van Gennep, *A propos de saint Acaire et du mot acariâtre,* dans *Revue de l'International Club II,* Paris, 1935 ; E. von Kraemer, *op. cit.*, pp. 100-107 ; J. Dufournet, *Adam de la Halle...*, pp. 319-320 ; G. Deghilage, *Le mot « acariâtre »*, dans *Vie et langage,* juin 1956, pp. 270-271 ; Cl. Buridant et J. Trotin, trad. du *Jeu de la Feuillée,* Paris, Champion, 1972, pp. 66-67 ; Ch. Méla, *Blanchefleur et le saint homme,* pp. 77 sq. Selon Ph. Walter, *L'Ordre et la mémoire du temps,* thèse soutenue en 1987, t. V, p. 763, n. 85 : « L'acariâtre est un possédé, son caractère difficile est le propre du tempérament atrabilaire. Fêté le 27 novembre, le lendemain de la sainte Catherine et à proximité de la saint Nicolas d'hiver, on voit qu'Acaire est en fort bonne compagnie avec deux saints qui favorisent les mariages. »

Enfin, le mot de *saint Acaire* comporte un jeu avec *(a)querre* « acquérir », que font ressortir les vers 1037-1040 : *saint Acaire... querre (santé)... quere men pain.*

324. *Ourer,* vieux verbe, employé par Rutebeuf seulement à la rime avec *demorer* et dans la *Vie sainte Elysabel.* Cf. notre *Adam de la Halle...*, pp. 320-321.

327. *Miracles* au féminin mais masculin au v. 329. Dans le *Jeu de saint Nicolas,* le mot est masculin sept fois sur huit, en particulier au vers 6, très proche du nôtre : *Qui tant biaus miracles a fais.* Selon F. Brunot, *La Pensée et la langue,* p. 92, « c'est la désinence dite

féminine qui exerce l'action principale. Cette action a été très forte. Elle a, à certains moments, failli entraîner des noms désignant des êtres masculins par définition comme le *pape* (cf. *prophète*) ; *mensonge, navire, reproche, cloaque, doute* ont été féminins ; *épigramme, épithète, épitaphe* le sont restés... ». G. Gougenheim ne cite pas, dans sa *Grammaire de la langue française du XVI*e *siècle* (pp. 41-46), *miracle* parmi les mots dont le genre est hésitant.

328. On peut hésiter sur la construction et faire du complément *de l'ome* un complément soit du nom *l'anemi*, soit du verbe *encache*.

330. *Esvertin*, « folie » ; c'est notre *avertin*, encore employé au XVIIIe siècle dans la langue littéraire et aujourd'hui, dans les campagnes, pour désigner le tournis des moutons. Ce mot a fait de saint Avertin, par étymologie populaire, le guérisseur de la folie et du mal de tête, comme en témoigne H. Estienne, *Introduction au traité de la conformité des merveilles anciennes avec les modernes ou traité préparatif à l'apologie pour Hérodote* (Genève, 1566) : « Autant en est-il de S. Avertin qui guarit les avertineux, cousins germains des acariastres. Pour le moins on dit que S. Avertin guarit tous maux de teste, desquels nous sçavons le plus grand estre en ceux qu'on appelle avertineux ». Cf. E. von Kraemer, *op. cit.*, pp. 89-92.

336. *Abenguete*. Ce diminitif d'*abengue*, « petite pièce de monnaie valant le quart d'un denier parisis », est un mot attesté dans les textes médiévaux provenant uniquement ou avant tout du nord-est du domaine d'oïl (Cf. Ch. Gossen, *art. cité*).

337. *Soi bien faire de quelqu'un*, c'est notre *se faire bien voir de quelqu'un*. Il faut remarquer que *vous* est le complément de *faire*.

Otto Gsell (p. 286) signale que la tirade du moine illustre un proverbe cité par Morawski (985, 1109) : *Je ne vi onques prestre qui blasmast ses relicques*.

343. *Poi Pilés*. Pour cette graphie avec *poi* sans *s*, voir les vers 246 *(consillié me)*, 347 *(biau nié)*, 348 *(tou maintenan)*...

Le *Nécrologe d'Arras* mentionne pour 1283 *un pois pilés Valés* ; or notre personnage demande des pois pilés, qui passaient pour guérir de la folie et qui finirent par désigner une pièce du théâtre comique. Le jeu parti CXXXVIII, entre Gillebert et Th. Herier, tourne autour d'un plat de pois pilés au lard.

Les pois pilés étaient à la fois un moyen de guérir la folie et, par extension, un symbole de celle-ci. « Une fois encore, une double lecture paraît ici possible, sinon probable : en première analyse, le fou demande la guérison de son mal, en bonne logique ; mais, au plan symbolique, il se pourrait fort bien qu'il ne réclame au fond que ce qu'il possède déjà : à savoir, l'emblème de la folie ou la folie elle-même » (A. Leupin, *art. cité*, p. 255).

347. *Biau nié*. On remarquera le double sens (*niés* « neveu » et *niais*) la répétition comique et une allusion au motif épique des neveux (Cf. R. R. Bezzola, *Les neveux*, dans les *Mélanges J. Frappier*, Genève, 1970, t. I, pp. 88-114). Ce qui n'étonne pas, puisque Valet voudrait être ménestrel.

Le fromage était associé à la folie. Voir G. Schoepperle, *Tristan and Isolt,* t. 1, pp. 231-234 : d'une part, dans le *Tristan* d'Eilhart d'Oberge, le héros, simulant la folie, offre à la reine un fromage qu'il a transporté pendant sept jours dans sa besace, et comme elle refuse, il lui en met un morceau dans la bouche, à quoi la reine répond par un léger coup (vers 8868-8877) ; d'autre part, des proverbes courants : *Jamais homme sage ne mangea fromage... a fol fourmage... Qui mains en mange est tenu le plus sage.* Voir aussi *le Tristan en prose,* éd. Bédier de Thomas, *Roman de Tristan,* t. II, p. 375.

353. *Ménestrel* est, dans la bouche de maître Henri, ironique. Désignant d'abord des jongleurs de rang supérieur, le mot a fini par s'appliquer à tous, si bien qu'il est devenu péjoratif (ainsi dans *Robin et Marion,* vers 255, 747) et a signifié « faux, menteur, joueur, médisant, débauché », remplacé, par la suite, par *ménétrier* qui ne désigna plus qu'un musicien, et encore un violoneux qui fait danser. Cf. R. Morgan Jr, *Old French Jogleor and Kindred Terms,* dans *Romance Philology,* t. 7, 1953-1954, pp. 294 sqq ; Ph. Ménard, *op. cit., passim ;* et notre *Adam de la Halle...,* pp. 304-305.

357. Hyperbole comique qui explique la réflexion du moine (v. 358) et qui se trouve dans *Le Roman de Renard* dont on n'a pas encore mesuré toute l'influence sur la littérature médiévale, et en particulier sur *Le Jeu de la Feuillée.* Voir éd. J. Dufournet (Paris, 1970), p. 104, vers 1187-88 : *Et qui la teste lui coupast / As gelines tot droit alast.* On se rappelle que, dans la branche II, Renard encourage Chanteclerc à chanter comme son père Chanteclin et l'autre commet la folie de l'écouter.

362. Selon E. Langlois, *trad.,* p. 44, « Walet baise le reliquaire. Cependant, des spectateurs avaient quitté leurs places et s'avançaient vers le moine ; en tête était Walaincourt ».

363. La répétition mécanique de *biaus niés* entraîne le comique. Sans doute y a-t-il un jeu de mots sur *niés* et *niais* qui révélerait la pensée de l'auteur, le plus fou n'étant pas celui que l'on pense. Cf. Gr. Frank, dans *Modern Language Notes,* t. 59, pp. 92-93 : « But, although the words *sœur* et *frère* were frequently employed in medieval French in greeting strangers, *niés* (nephew) is recorded only in its literal meaning. It seems clear therefore that, when Walet says *biaus niés,* the audience, who also heard « biaus niais » (*ai* in this position had of course become open *e* before the thirteenth century), smiled both at the fool's ascription to others of his own folly and at his impudence in thus addressing such worthies as Maître Henri, the Monk and saint Acaire ».

365. *Estrelins :* cf. E. Fournial, *Histoire monétaire de l'Occident médiéval,* Paris, 1970, p. 83, n. 1 : « Esterlins : monnaie des rois d'Angleterre pesant 1 denier 1 grain (au marc de Troyes ? = 1,3278 g), à la taille de 180 (au marc de Troyes ? = 1359 g) à 11 d. 8 gr de loi (...) Le denier esterlin contiendrait donc 1,240 ou 1,269 g de fin alors que 4 tournois en contenaient 0,3517 × 4 = 1,4068 g ».

366. *Baillœl* se retrouve dans plusieurs fabliaux, dans le *Vilain de Bailleul* de Jean Bodel et *Le Boucher d'Abbeville* qui se déroule à Bailleul. Peut-on donner à ce nom une tonalité comique ou satirique ? En tout cas, le vilain de Bailleul se laisse persuader qu'il est mort par le prêtre qui est en train de jouir de sa femme, si bien que la morale du fabliau est *c'on doit por fol tenir celui / Qui mieus croit sa fame que lui*.

368. On peut hésiter entre *treske s'enfanche* et *treskes enfanche.* Voir A. Jeanroy, dans *Romania*, t. 67, 1942-1943, pp. 80-87 : « *Tres ke* signifie certainement ici « depuis, dès... ». Ce sens dont il y a trois exemples dans *Le Jeu de la Feuillée* est relativement rare, et méritait d'être signalé. Mais pourquoi *kes* et non *ke* ? Il ne peut s'agir de cet *s* dit adverbial, qui s'ajoute en effet à tant d'adverbes, comme *guère*, etc., mais non à des prépositions ; en fait, je n'ai jamais rencontré *ques* pour *que* alors que *qued, quet* sont fréquents. De plus, *enfanche* exige un déterminant article ou pronom. Je propose donc de lire *tres ke s'enfanche* et de voir ici un exemple du possessif singulier se rapportant, conformément à l'usage latin, à un substantif pluriel. Ce phénomène, usuel en ancien italien, est relativement rare en a. fr. ; il est remarquable que presque tous les textes où il se rencontre appartiennent au nord-est ou au centre du domaine ». Cf. Tobler, *Vermischte Beiträge,* 2e série, n° 12, 2e éd., p. 91 ; P. Falk, *Jusque et autres termes en a. fr. et en anc. prov. marquant le point d'arrivée,* Uppsala, 1934.

369. *Tendre as pavillons*. Sur cette expression, une double note d'A. Jeanroy et de M. Roques dans *Romania,* t. 67, 1942-43, pp. 85-87 et 89-90. On peut penser que l'auteur joue sur l'équivoque du mot, *pavillon* pouvant désigner en picard soit une large toile dont on se servait pour chasser les perdrix, soit un papillon. Comme l'a dit M. Roques, il s'agirait de fous qui vont chasser le papillon comme d'autres le gibier.

370. *Billons :* « Sens anciens : 1/ lingot d'or ou d'argent ; 2/ lieu où l'on affine les lingots et où l'on frappe la monnaie ; 3/ toute espèce de monnaie, bonne ou mauvaise, que l'on porte à l'hôtel des monnaies pour y être refondue ; 4/ toute espèce de monnaie d'argent à très bas titre (sens le plus ordinaire) » (E. Fournial, *op. cit.,* p. 188).

376. Sans doute s'agit-il de *Vitulus Wautier,* inscrit au *Nécrologe* en 1278, qui devait s'irriter quand on lui rappelait par des beuglements son surnom. Voir G. Cohen, *La Farce des Veaux,* dans les *Mélanges I. Frank,* Sarrebruck, 1957, pp. 170-178 : « ... *la Farce des Veaux* fait partie intégrante de l'histoire de la sottie, les veaux y désignant comme aujourd'hui encore dans notre langage (...), les imbéciles, les fous et les cocus, et rapprochons-le de ce vers cueilli dans la *Farce des Veaux* (1550) : *le gras veau du Prince des Sots* ». Sur la *Farce des Veaux,* voir la très bonne étude de J.-Cl. Aubailly, dans sa thèse sur le *Monologue, le dialogue et la sottie,* pp. 306-309.

378. *Li kemuns* désigne, pour M. Ungureanu, le commun d'Arras qui s'oppose au patriciat; pour H. Roussel, l'ensemble des personnages qui sont sur la scène ou encore le public. Quant à *Moie,* qui est le cri du veau, c'est, pour M. Ungureanu, « le moignon d'une phrase censurée ».

380. *Mencaut :* « Sorte de mesure pour les grains et la terre. Si l'on tient compte en bloc des nombreuses attestations relevées dans les textes littéraires, les documents d'archives (voir Du Cange, Godefroy, Tobler-Lommatzsch) et dans les lexiques patois modernes (mais pas au-delà du XIXᵉ siècle), aussi bien pour ce terme que pour ses dérivés, on constate que les témoignages s'accumulent :
— dans tout le département du Nord (Cambrésis, Flandre, Hainaut avec Valenciennes et région du rouchi, mais pas d'exemple sûr pour les territoires qui constitueront le Hainaut belge);
— dans le Pas-de-Calais (Artois, Saint-Omer, Lens); dans la Somme (surtout en Santerre); dans l'Aisne (Vermandois); dans l'Oise (Noyon, région de Lassigny, au nord de Compiègne, au sud de Clermont, c'est-à-dire à l'extrême sud des patois picards modernes).

Sans doute le mot est-il enregistré dans le *Dictionnaire de Trévoux* et l'on retrouve même *mencaudée* dans le *Larousse du XXᵉ siècle* (il ne figure plus dans le *Grand Larousse Encyclopédique),* mais il s'agit là d'un mot historique. Et certes, encore Delamare cite-t-il *mancot,* mais pour La Fère (au S.-E. de Saint-Quentin).

Il semble donc bien que *mencaud* soit vraiment un mot picard — au sens strict du terme — de grande extension qui, pendant une certaine période de son histoire (XIIIᵉ s. - XVIᵉ s. ?) a dû régner dans tout le domaine (sauf le futur Hainaut belge) et même là exclusivement » (A. Henry, *Lexicologie géographique et ancienne langue d'oïl,* dans *Romance Philology,* 26, 1972, p. 249).

383. *Il li a voué :* on peut hésiter entre deux traductions, admettre que *vouer* signifie « s'engager envers quelqu'un » ou supposer que *li* représente *le li* et traduire « promettre quelque chose à quelqu'un ». C'est ce dernier parti que nous avons choisi.

385. *Qu'i* dans le ms. pour *qu'il.* Voir P. Fouché, *Phonétique historique du français,* t. III, p. 898. Cette graphie indique que le *l* ne se prononçait pas, du moins pour le copiste.

386. *Rengrami, engrami, gramir, gramoiier* semblent désigner la mélancolie noire, prompte à de brusques accès d'irritation. Cf. *AFW,* t. 3, p. 402 : « jem. betrüben, in Unruhe versetzen : *De celui cop sont paien esbahi, / Seure li corent irié et engrami* ».

389. *Il ara mieux :* soit « il aura plus à donner », soit « il se portera mieux ».

390. Le fou était sans doute assis parmi les spectateurs ou sur la scène.

395. *Je sui rois.* Est-ce un rappel des fêtes populaires durant lesquelles on assistait à un renversement de la hiérarchie? Voir

notre étude dans *Sur le Jeu de la Feuillée*, Paris, 1977, pp. 52-69. Mais, comme l'a signalé E. DuBruck, *The Marvelous Madman...*, p. 181 : « In this position, his statement, « car je sui rois » (v. 395), is no longer a sign of raving madness but an assertion of the truth, namely, that he is freest of all to judge and to condemn and in no way bound to obey the conventional rules of conduct dictated by a society of hypocrites. »

Dans ce passage, on remarquera les correspondances, d'une part, à l'intérieur de cette scène (*rois* 395, *prinches* 405 et 407, et *courounés*, 415 ; *araines* 400 et *cornet*, 414), ce qui ravale les activités littéraires du puy au niveau des manifestations du *dervé ;* d'autre part, entre cette scène et celle de la roue de Fortune : le dervé est roi (395) comme le sont E. Crespin et J. Louchard (793) ; c'est le hasard des dés qui détermine les vainqueurs du concours littéraire (416), comme c'est la Fortune aveugle qui hisse les puissants au sommet de sa roue.

397. *Envïaus :* du sens premier d' « action d'enchérir sur le jeu d'un autre », de « défi », on est passé à celui de « finesse, ruse » ou de « coup » (comme dans ce vers).

398. Sorte de fatrasie qui permet à Adam de montrer dans cette pièce-bilan les multiples facettes de son talent, mais qu'il ne reprend pas à son compte : tentation qu'il refuse par « classicisme », par goût de la lucidité et de la clarté.

Uns crapaus. Se rappeler et que c'était un nom de famille à Arras (cf. le *Nécrologe* pour 1295 : Leurent Au Crapaut) et que c'était un animal diabolique et maléfique. Voir notre *Adam de la Halle...*, pp. 308-310, et L. Sainéan, *La Création métaphorique en français et en roman. Images tirées du monde des animaux domestiques...*, Halle, 1907, pp. 115-138. Le crapaud est aussi, comme la grenouille, en relation avec la sexualité, témoin le conte du *Roi-Grenouille* des frères Grimm : une jeune princesse se voit contrainte, à la suite d'un vœu imprudent, d'accepter dans son lit une grenouille qui provoque d'abord chez elle un insurmontable dégoût, avant de se transformer en prince de rêve. La grenouille illustre le fait que « les premiers contacts érotiques ne peuvent pas être agréables » (B. Bettelheim, *Psychanalyse des contes de fées*, Paris, p. 354). Grenouille et crapaud représentent le côté bestial de l'acte sexuel. Le crapaud revient fréquemment dans les tableaux de J. Bosch : dans la bouche d'un grand benêt dans l'*Escamoteur*, sur le bouclier d'un soldat dans l'*Ecce Homo* et *Le Portement de croix*, sur le pubis d'une jeune femme dans *Le Char de Foin* (volet droit).

Dans un texte de Gautier de Coinci, *D'un moigne qui fu ou fleuve* (éd. Koenig, t. III, pp. 165-190), il est question d'un prêtre luxurieux :

> Quant il au sacrement venoit,
> Assez sovent li avenoit
> Por son pechié, por son malice,
> Qu'il veoit emmi son calice
> Un grant crapot lait et hideus.

Tant par ert noir et tenebreus
D'ire et d'ardeur si tressuans
Que li venins ors et puant
Par mi la geule li bouloit.
Si laidement le rebouloit
Et patoioit vers lui ses pates
Qu'avoit plus noires que çavates
Que por un peu n'issoit dou sens (vers 431-443).

Voir aussi M. Vincent-Cassy, *Les Animaux et les péchés capitaux : de la symbolique à l'emblématique,* dans *Le Monde animal et ses représentations au Moyen Age,* Toulouse, 1985, p. 121.

399. *Raines.* La *raine* apparaît dans le premier vers des *Fatrasies* de Beaumanoir : *Li chan d'une raine / Saine une balaine...*

400. *Araines.* Cor ou trompette, trompette de bronze, droite, de grand format. Voir F. Brücher, *Die Blasinstrumente in der altfranzösischen Literatur.* Giessen, 1926, p. 7. S'agit-il d'une grossièreté, comme le pense Claude Mauron ? *Je fais les araines* est en rapport avec tous les motifs du passage : trompette du héraut du roi, trompette du jongleur, bruit obscène.

402. *Seés vous jus :* étant donné les vers 390 et 403, il faut comprendre « restez en bas, n'approchez pas ». Le père donne cet ordre à la vue des gestes désordonnés et menaçants du fou. On voit l'usage très fin que fait Adam des diverses possibilités de la langue : 590, *sié ti* « assieds-toi »; 396, *seés vous cois* « tenez-vous tranquille »; 1009, *seés vous jus* « asseyez-vous »; 916, *seons bas* « asseyons-nous par terre ».

404. *Soumillons :* le nom, qui permet un jeu de mots (il évoquerait le sommeil intellectuel des Arrageois), pourrait désigner un bourgeois qui n'aurait rien à voir avec la poésie, ou même l'ancien prince du *pui,* désigné par un sobriquet satirique, Jean Bretel. Voir notre *Adam de la Halle...,* pp. 171-186.

405. Le *Pui Notre Dame* était une association littéraire, appelée aussi *Pui d'Amour.* « Cette académie locale (qui a servi de modèle à celles qui furent organisées à Amiens, Tournai, Valenciennes, Douai...) n'accueillait en son sein que les patriciens et les poètes les plus éminents. Un prince la présidait, élu, semble-t-il, chaque année le premier mai (...). Il devait être fort riche pour faire face à d'énormes frais causés par les banquets, les offices religieux, les représentations dramatiques. Au cours de séances publiques, le *pui* écoutait les compositions poétiques, les jugeait, distribuait les prix » (J. Dufournet, *Adam de la Halle...,* p. 224). Voir surtout R. Berger, *op. cit.,* pp. 86-88. Voici en quels termes le poète Thomas Hérier parlait du puy : *Signor, chis puis senefie / Honor, sens et cortoisie, / Beaus mos, chans si esmeros / C'om ne puist estre blasmés* (éd. H. Petersen Dyggve, *Neuphilologische Mitteilungen,* t. 44, p. 81).

406. *Bien kie de lui :* « On est bien tombé en le choisissant ». Mais le poète ajoute une plaisanterie, confondant *kie* de *keoir* avec *kie* de *kier* (« C'est une belle défécation » ou « On lui doit une belle

défécation »), qui contient sans doute le rappel d'une chanson artésienne où il est dit que J. Bretel *se braie avala, celui de Beugin Trestout porkia*. Voir notre étude citée sur *Le Rire dans le Jeu de la Feuillée*.

407. *Qu'il ne soit*. Sur ce subjonctif, voir G. Moignet, *Essai sur le mode subjonctif en latin postclassique et en ancien français*. Paris, P.U.F., 1959, t. II, p. 468 : « ... nous ne tenons pas pour établi le caractère dialectal du subjonctif dans des comparatives de ce type. Nous y voyons plutôt une élégance de style, d'apparition tardive, résultant d'une appréciation fine de ce qu'il y a de refusé, de semi-négatif dans le point de comparaison choisi ». Il s'agirait donc d'une invention qui, pour discréditer le *pui*, placerait à sa tête quelqu'un de grossier qui n'en fit jamais partie.

412. *Vanter*, ici verbe réfléchi. Deux critiques en ces vers : la vantardise et le trucage universel, qui ne tient aucun compte du mérite. Si Wautier As Paus et Thomas de Clari peuvent se vanter, c'est qu'ils sont sûrs du jury, acheté d'une manière ou de l'autre.

414. Wautier As Paus est à la fois un être fruste proche des paysans qui jouent du *cornet*, « trompe rustique » en corne ou en bois (ainsi dans le *Jeu de Robin et Marion*, v. 715), et qui passe son temps à manier le cornet de dés, comme maître Henri le révèle aussitôt aux vers 416-417. Ajoutons qu'au portail de Notre-Dame de Paris, un fou aux cheveux flottants porte à sa bouche un objet qui devait être d'abord une pierre ou un fromage, et qui est devenu une sorte de cornet dans lequel il souffle, et tient de la main droite un bâton ou une massue qui maintenant ressemble à un flambeau. Le cornet peut figurer le « vent », les fadaises qu'émet le fou ; est-ce aussi un appel à l'auditoire ?

417. Sur *deduit*, qui marque une attitude active et concrète, et qui apparaît beaucoup moins souvent dans la chanson d'amour que dans d'autres types de chanson, notamment dans le jeu-parti, voir G. Lavis, *L'Expression de l'affectivité dans la poésie lyrique française du Moyen Age (XIIe-XIIIe s.)*, Paris, 1972, pp. 260-264 et *passim*.

423. *Parisïens :* un des mots-clés de la pièce, placé ici dans la bouche du père du dervé, un brave homme qui ne se moque de personne : Adam se considère comme un Parisien parmi des rustres, ou joue au Parisien qu'il ne peut pas être.

Le suffixe *-ïen* est dissyllabique, parce que remontant à deux syllabes latines. Voir G. Lote, *Histoire du vers français*, t. III, 1955, p. 124 : « ... il existe un suffixe *i-anum* qu'on rencontre dans *christi-anum* > *chresti-ien, chresti-en, anti-anum* > *anci-ien, anci-en* et qui est dissyllabique (...). Ce suffixe a été étendu à un grand nombre de substantifs et d'adjectifs, comme *physicien, historien, terrien,* où d'abord la diérèse était observée. Cependant on trouve déjà *chrestien* dans la *Chronique des Ducs de Normandie,* dans la version dramatique de *Barlaam et Josaphat* et chez Phil. Mousket ».

424. *Pois baiens :* « Adam, enveloppé dans sa cape, évoque à l'esprit du dervé un pois dans sa gousse, autrement dit un homme

dont une apparence de science et de sagesse masque la folie profonde et incurable » (voir notre note dans *Romania*, t. 94, 1973, pp. 108-113). Mot de l'aire picarde.

425. *Dames* désigne fréquemment les fées. Ainsi, dans son *De Universo* (XII, p. 1036), Guillaume d'Auvergne fustige-t-il Dame Abonde et ses compagnes, qui sont des déesses de la fertilité que les paysans appellent *dominas* et qui, la nuit, se rendent dans les maisons pour en récompenser les laborieuses. Jean de Meun parle des *bonnes dames* (*Roman de la Rose*, éd. F. Lecoy, v. 18408). De même, dans les lais, les fées sont désignées par les noms de *pucelle, damoiselle, meschine* et *dame*. Voir, sur ce sujet, le travail de Mme L. Harf, *Les Fées au Moyen Age*, Paris, Champion, 1984.

426. *Bigames* n'a pas le sens moderne, mais désigne les clercs qui ont eu successivement plusieurs femmes légitimes, ou une femme légitime et des maîtresses, ou qui ont épousé une veuve, ou qui ont dans le même temps une femme et une — ou plusieurs — maîtresses, ou qui épousent une femme qu'un autre a connue de son plein gré ou non, ou qui continuent à vivre avec une femme qui les a trompés. Cf. notre *Adam de la Halle...*, pp. 273 sqq, et N. R. Cartier, *Le Bossu désenchanté...*, pp. 114-116. On peut aussi penser que le poète est bigame de fait parce qu'il est à la fois clerc et mondain.

426-517. A l'intérieur d'une *macrostructure* qui comporte essentiellement le discours de maître Henri en faveur des clercs bigames et ses refus de participer à l'action commune — structure répétitive qui reprend celle des vers 182-199 — on discerne des *microstructures* qui constituent d'importants éléments signifiants : dans la réplique de Guillot (vers 464-469), les irréels du passé dénoncent le délire de Plumus ; celle d'Hane (vers 476-479) contient la série du troc, *livrer savoir — livrer argent — livrer aubenaille ;* dans celle d'Henri (vers 497-500), le festival des négations (*ne... goutte, ne... mie, ne, point ne...*) fait du père d'Adam l'homme du refus ; ainsi qu'un élément récurrent unifiant dans la répétition de *aatir* « se vanter de », mis en évidence par sa longueur.

428. E. Langlois a traduit : « *Or sont deus,* " et de deux ". La première s'adressait à Robert Sommeillon (v. 406 et suiv.), la seconde à Adam, suivant Rikier. » Mais il ne semble pas que cette explication puisse être retenue. Mieux vaut suivre O. Gsell (p. 239) pour qui *ceste chi* (v. 429) est un féminin qui représente la femme d'Adam. Pour N. R. Cartier, il s'agit des deux femmes d'Adam.

433. *Vaillans* signifie « valeureux de haut mérite » ou « haut placés, puissants ».

435. On peut imprimer soit *encosa* (Fr. Michel, Coussemaker, E. Langlois), soit *en cosa* (O. Gsell). L'*AFW* (t. II, p. 419, a) ne donne que *choser : Se nuls m'en chose, / Je direi que jou fis a force*.

438. On remarquera la répétition de ce verbe *aatir* dans le texte (vers 438, 458, 471-472, 484, 490). De surcroît, l'auteur s'arrange

pour lui donner dans chaque cas au moins trois syllabes, et à deux reprises il le renforce de l'adverbe *bien*. Manière de dénoncer la vantardise des bigames. Voir une chanson de croisade, *Ne chaut pas, que que nus die,* II, 11-14 (éd. Bédier-Aubry, pp. 231-232) : *S'il uevrent par aatie, / Tot iert tourné a rebours. / Trop i a des orguillous, / Qui s'entreportent envie.*

440. *Friques* « nouvelles, solides, bonnes ».

441. *En apert* « de façon notoire, évidente ».

444. O. Gsell rapproche notre tirade de ce passage de Matheolus, I, vers 321-333 : *Ce me semble bien dur, par m'ame, / Se clerc espouse vefve femme, / Belle, vaillant, non diffamee... / Quant de clergie on le degrade ; / Ceste sanction est trop rade / Et le decret est trop nuisible. / Plus semble la coulpe loisible / Et trop plus doit faire la glose / Que pour celuy qui en suppose / Dessoubs lui un cent folement / Et n'est condamné nullement / Qu'il ne puist estre promeü.*

447. *A remuier* « en quantité, de rechange ». Peut-être nom verbal en *-ier* formé sur *remutare*. Voir *AFW*, t. 8, p. 765.

451. Faut-il ici conserver le texte du manuscrit qui est *ait ?* Ce serait affaiblir singulièrement la portée de l'argumentation de maître Henri. Peut-être y avait-il *oit*, forme analogique de la première personne (cf. Cl. Régnier, dans *Romance Philology*, t. 14, 1961, p. 270)

453. *Peuture*, forme picarde de *pouture*, qui désignait la nourriture pour les animaux (auj., le mot signifie « engraissement du bétail à l'étable, surtout au moyen de farineux ») et la nourriture en général, a ici le sens figuré de « nourriture spirituelle » ; autrement dit, ces prélats « sur qui nous devons prendre modèle ».

455-459. *Clergie* Adam joue sur les divers sens du mot : 1/ privilèges du clerc ; 2/ instruction, science du clerc.

457. *Amatis*, d'*amatir* (formé sur *mat* « triste, abattu, affligé »), « abattre, vaincre, ruiner, réduire à la dernière extrémité, désespérer ».

458. *Plumus*. Ce nom donne la clé du passage par le double sens qu'il contient : c'est à la fois le clerc qui se sert de sa plume, le plumitif qui multiplie les actes (*cas, escris, noteront*) et le clerc aussi léger qu'une plume, inefficace et vantard.

461. *Pour a metre :* tour picard et wallon, caractérisé par le redoublement de la préposition. *Pour a* « au risque de » « sous peine de », « quand il s'agirait de ».

Estoupe : au sens propre, partie la plus grossière de la filasse de chanvre ou de lin ; au sens figuré, chose sans valeur, bourde, mensonge. On peut donc comprendre soit « en y mettant un peu d'étoupe », c'est-à-dire « sans difficulté », soit « en y mettant un peu de mensonge », c'est-à-dire « en mentant un peu ». *Estoupe*, qui est à rapprocher de *Plumus/plume,* souligne la légèreté et la vanité des propos.

463. *Euereus*. Cf. A. Henry, éd. du *Jeu du saint Nicolas*, p. 270 : « La graphie *euereus* est tout à fait inattendue dans un ms. arrageois (comp. eüré, vers 467 et 1238). M. Warne (note à son vers 1363) avance plusieurs hypothèses en vue de l'expliquer. Une influence wallonne est ici invraisemblable ; la graphie wallone (et hennuyère) offre d'ailleurs souvent *w* (ou *uu*), et, régulièrement, un *i* : *awirous, euwirous, ewireus*, etc., mais aussi, dans des textes tardifs, *euireus* (cf. Godefroy, *Compl.*, IX, 573 et A. Goosse dans les *Dialectes belgo-romans*, XVII, 75). Tout compte fait, je croirais plutôt à un lapsus du scribe pour *eureus*. Je lis cependant dans le ms. Q 9630 de la B.R. à Bruxelles (*Garin le Loheren*) — mais le copiste était probablement originaire du nord de la Picardie — *Mais ne veistes si tres espeueris (espeürir = espaorir)* et *espeuerie* chez Beaumanoir (*Manekine*, 1892) ».

468. *Dire esprec*. Nous voyons en *esprec*, à l'origine, un impératif de *esprekier*, « parler mal » (à rapprocher du flamand *spreken* « parler » et du patois de Wallonie *spreck'ler* « baragouiner l'allemand ou le flamand »), qui, employé comme interjection, aurait perdu l'*e* final, et nous comprenons : « Car Plumus aurait dit au pape : Continue à baragouiner... ». On peut d'ailleurs faire d'*esprec* un nom postverbal d'*esprekier* et traduire : « Baragouin que tout cela ! ». Mot du Nord-Est, selon Gossen (p. 192). Pour d'autres explications, voir notre note dans *Romania*, t. 94, 1973, pp. 106-108. Cl. Mauron (p. 41) et N. R. Cartier (p. 121) ont repris l'explication de Loss qui corrigeait *esprec* en *esterc*, de *stercus ;* de là les traductions de « il lui aurait dit : et merde ! » (Cl. Mauron) et « Plumus lui aurait flanqué à la figure le mot de Cambronne » (N. R. Cartier).

Quant à la rime *clerc/esprec*, qui n'est pas bonne, on peut l'expliquer si l'on admet, avec Ch. T. Gossen, *Petite Grammaire de l'ancien picard*, Paris, 2e éd., p. 114, la fréquence de la métathèse du groupe *-er-* > *re-* et vice versa en picard, encore que le second cas soit plus rare, attesté cependant par des exemples comme *kerstienté, gernon, pernons*... Adam aurait joué sur cette possibilité et il faudrait lire *esperc*.

469. *Faire l'escarbote*. Voir Eude de Cheriton (cité par A. G. Van Hamel dans son éd. des *Lamentations de Matheolus*, t. II, p. CXLIV) : *Hujusmodi clerici dicuntur scrabones qui... in sterquilinium se immergunt quando aliquid beneficium temporale acquirunt*, et J. Lefèvre, dans sa version française de Matheolus, parlant des veuves qui choisissent les plus méprisables parmi les prétendants : *Elle resemble l'escharbote, / Qui guerpit l'odeur des fleuretes / Et suit le chemin des charrettes*.

471-473. La répétition de *Gilles* attire l'attention sur ce nom qui, revenant constamment dans la pièce comme nom commun et comme nom propre, met l'accent sur l'omniprésence de la ruse et de la tromperie (*guile*) à Arras.

479. *Aubenaille*, dérivé d'*aubaine*, désigne, à notre avis, le bien d'autrui que l'on s'approprie d'une manière ou d'une autre.

Autrement dit J. Crespin accepte de donner de l'argent pour alimenter la campagne des *bigames* contre les décrets pontificaux et conserver ses privilèges de clerc, mais ce sera de l'argent pris à autrui. Voir sur ce mot notre note dans *Sur le Jeu de la Feuillée*, pp. 125-129.

481. E. Langlois, qui voit en *fin* un adjectif qualifiant *frait*, a traduit : « Il ne reculera pas devant la dépense » ; mais il est préférable de comprendre avec O. Gsell (p. 498) : *faire fin del frait* = *faire le frait* « payer les dépenses », et *par tout* « complètement ».

485. *Pour nient*. Le rejet souligne l'importance de l'expression dont le sens est double : 1/ gratuitement, 2/ inutilement, et qui, par conséquent, résume les deux tirades précédentes, où sont dénoncés le délire matamoresque de Plumus et l'avarice des bigames.

488-491. Ces vers résument les accusations contre les bigames : luxure (*Fout-se-dame*), tromperie (*Gilles*), vantardise (*par aaties*), déviation et perversion du savoir (*noteront*), association pour la défense d'intérêts honteux (*ensanle... pour tous*).

490. *Par aaties :* en enchérissant l'un sur l'autre, en faisant assaut de vantardises.

493. La formule est ambiguë, puisqu'*avoir une femme* peut signifier « épouser » ou « prendre de force ».

498. L. Foulet comprenait différemment : « Je n'ai pas de quoi vivre largement ».

502. Sur *Marïen le Jaie,* en qui nous voyons, comme E. Langlois, la femme d'Adam (pour N. R. Cartier et pour Cl. Mauron, ce serait sa belle-mère), consulter notre *Adam de la Halle...*, p. 41, et notre art. des *Mélanges Lecoy, Du Jeu de Robin et Marion au Jeu de la Feuillée*, p. 82.

503. On remarquera le jeu phonique de ce vers et le sens ambigu de *plais,* « procès » et « dispute ».

504. Ici encore, répétition de sons, que nous avons essayé de rendre.

505. Adam parodie le proverbe connu, *Autant en emporte ly vens*, profitant de ce qu'en picard l'*e* nasalisé ne s'est pas ouvert devant *n* (cf. Miss Pope, *From Latin to mod. French*, p. 174, § 450 : « In the western, northern and north-eastern region, *e* remained unlowered devant *n* » ; P. Fouché, *Phonétique historique du français*, t. II, p. 370, rem. V).

510. Sur le nom de *Guillos,* cf. le proverbe : *Tel croit guiller* (tromper) *Guillot que Guillot guille*.

513. Sur l'expression *la vieille danse,* voir Gautier de Coinci, *Théophile,* t. I, p. 159, vers 1809-1812 : *Anemis a mout grant puissance / Et tant seit de la vielle dance / Qu'a sa dance fait bien baler / Celz qui plus droit quident aler;* G. de Lorris, *Roman de la Rose*, v. 3908j : *qu'el set toute la vielle dance; Pamphile et Galatée,* v.495 : *Celle qui sot de la vieil danse ; les Quinze joies de Mariage,* XV,

58-59 : *Quar la mere lui dit, qui sceit assés de la veille dance.* L'expression signifie : « être habile », « savoir de bons tours ».

514. *Manser* « étreindre, serrer ». Voir *Jeu-Parti,* XIV, entre Colart le Changeur et Jehan Estrueu : Je fréquente deux femmes qui m'aiment, l'une veut me tirer par les cheveux, l'autre *me doit manser le gorge; Roman de Renard,* I, 856 Ha : *Et li laz li manse la gorge* (cf. G. Tilander, *Lexique du Roman de Renard,* pp. 101-102). Mot appartenant à l'aire picarde (Gossen, p. 190).

515. *Geule :* ce mot est courant au sens de « gorge, cou ». Aussi dit-on *pendre par la goule,* et l'*os de la goule* pour les vertèbres cervicales. Voir Ph. Ménard, *op. cit.,* pp. 119-120 et 582, et J. Frappier, dans les *Mélanges Boutière,* pp. 233-243.

518. *Pour l'apostoile.* Ailleurs, Adam emploie le mot *pape.* Ces deux vers sont difficiles. On peut faire de *le,* au v. 519, le représentant du nom *apostoile,* et comprendre de deux manières différentes : « Me voici pour défendre le pape » (H. Guy), « Me voici pour demander raison au pape » (E. Langlois, J. Frappier, Cl. Mauron qui traduit : « et le Pape, je m'en charge ! Amenez-le donc ici pour voir »). Mais *le* peut fort bien représenter Guillot que le dervé veut tuer. Dès lors, nous comprenons *pour l'apostoile* soit « pour défendre le pape », soit « à la place du pape ». Après avoir été roi, le fou devient pape.

522. *Brubeilles* « sottises », à rapprocher du français de Bruxelles, *brubilles* « sottises, sornettes », *brubelière* « bafouilleur », du moyen néerlandais *brobbelen* et du néerlandais *brabbelen,* verbes de formation onomatopéique, 1/ jeter de gros bouillons (en parlant de l'eau qui bout) ; 2/ bafouiller, parler d'une manière incompréhensible (cf. J. Bastin, *art. cit.,* p. 396). Le mot appartient à l'aire wallonne.

526. Sur le groupe adverbial *et si,* voir la thèse de G. Antoine, *La Coordination en français,* Paris, 1958, 2 vol.

530. Sans doute encore un nom propre à équivoques : on peut y voir une antiphrase (*duisans* signifiant « agréable, convenable »), ou bien lire *deduisans* « réjouissant », ou encore *dui sens* « double sens ».

534-535. Pourquoi cette mention des pots brisés et du potier ? Selon A. Adler, les potiers avaient la réputation de fous. De plus, il y a parodie de la relation normale du père et du fils, puisque, dans la pièce, ils se battent, parodie de l'*Epître aux Romains* (9,21) : saint Paul dit que Dieu crée les hommes comme un potier façonne ses pots, libre de désigner chaque pot qu'il a fabriqué à l'usage qui lui plaît. La créature qui casse les créations du créateur est l'archétype de la folie. Enfin, selon Barthélemy l'Anglais, certains fous croient être des vaisseaux de terre et ont peur d'être brisés.

536. Allusion à la chanson de geste *Anseïs de Cartage,* où le poète raconte les faits survenus en Espagne après le désastre de Roncevaux et où nous retrouvons le roi Marsile, bien qu'il soit déjà mort

de douleur dans la *Chanson de Roland*. Cf. M. de Riquer, *Les Chansons de geste françaises*, 2e éd., Paris, 1957, pp. 214-215. Dans ces vers très riches, Adam rejette aussi bien les pratiques des jongleurs (mimiques excessives) que les outrances des chansons de geste, qui ressortissent à diverses formes de la folie.

539. Le dervé frappe son père, et c'est lui qui se plaint d'être un *choulet*. Il donne un coup à son père et ajoute : « Je lui en ai bien donné pour 30 sous ». De plus, selon Cl. Régnier, il y a une plaisanterie : on frappait au Moyen Age pour assurer la véracité d'un fait, afin que l'on s'en souvienne.

541. *Cholet*, ballon de cuir rempli de son ou boule de bois avec lesquels on jouait à la *choule*. On poussait le ballon tantôt avec le pied, tantôt avec un bâton recourbé, garni de fer, présentant la forme d'une crosse. Cf. A. Sorel, *Le jeu de la choule. Recherches sur son origine, sa signification et la façon dont il se pratiquait*, dans le *Bulletin historique et philologique*, 1894, et S. Luce, *La France pendant la Guerre de Cent Ans*, 1893, chap. *Les jeux populaires*. Ce jeu, souvent très violent, était encore connu au XIXe s. tant en Bretagne (E. Souvestre, *Les Derniers Bretons*) que dans le nord de la France (E. Zola, *Germinal*). Dans le *Merlin en prose*, les ambassadeurs de Vertigier à la recherche de Merlin, passent « par un camp, a l'entrée d'une vile. Et en cel camp avoit une compaignie d'enfants, et çouloient et vit les mesages le roi Vertigier qui le queroient. Si se trait Merlin vers un des plus riches enfans de le vile, si le feri de le croce parmi le jambe, por çou que il savoit bien que li diroit honte » (éd. B. Cerquiglini, pp. 115-116). Selon R. Vaultier (*Le Folklore pendant la guerre de Cent Ans d'après les lettres de rémission du Trésor des Chartes*, Paris, Guénégaud, 1965, p. 52), ce jeu, qui se pratiquait essentiellement dans le cycle de Carnaval-Carême, devenait si violent que les homicides étaient de plus en plus fréquents au cours des parties.

Sur l'origine du mot, voir Ph. Walter, *op. cit.*, pp. 470-471, et A. Thomas, dans *Romania*, t. 28, p. 178. Mot de l'aire normande, picarde et wallonne (Gossen, p. 191).

551. *Rabaches :* plutôt que par « rabâchage », le mot est à traduire par « bruit, tapage » et peut-être par « diableries ». Cf. notre note dans *Romania*, t. 94, 1973, pp. 113-116.

554. On peut comprendre ce vers soit « Je n'ai plus d'argent », soit « Je n'ai pas plus d'argent ».

555. C'est la seule fois que nous avons la forme picarde *pau ;* ailleurs nous avons *peu :* ainsi au v. 550 (*Quant un peu il ara dormi*). Voir Gossen, p. 37 : « Quant à *paucu*, les textes littéraires emploient souvent *pau, peu, pou, poi* simultanément selon les besoins de la rime ».

557. *Hui mais* n'est pas ici un simple doublet de *hui*, mais garde son sens fort ; de là notre traduction : « de toute la journée ».

558. Sans doute écho ironique du vers 331.

560. *Metre en sauf* « mettre en lieu sûr, à l'abri ». Emploi substantivé de l'adjectif *sauf*.

562. *Endroit*, « précédant ou suivant immédiatement un adverbe de lieu ou de temps avec lequel il fait presque corps, le mot ajoute une nuance d'exactitude ou de précision » (L. Foulet, *Lexique des Continuations...*, p. 78). Par ex., *endroit midi* « à midi juste »; *ci endroit* « ici précisément ».

564. Sur Morgue, voir les références dans notre *Adam de la Halle...*, pp. 158-162. Y ajouter R. S. Loomis, *Morgain la Fée and the celtic goddesses*, dans *Speculum*, t. 20, 1945, pp. 188-203, et L. Harf, *op. cit.*

571. *Chaiens* « ici dedans où se trouve la personne qui parle ».

573. Tour parataxique, où *si* est traduit par « avant que » « jusqu'à ce que », marquant, comme l'a montré G. Antoine, le passage d'un aspect de l'action, conatif ou duratif, à l'autre, résultatif. Dans notre passage comme dans le vers 561 du *Voyage de Charlemagne* : *Ja n'en descendrat mais, si l'avrai comandet*, *si* marque le passage d'un fait inscrit dans le futur à un autre envisagé comme donnée préalable : le changement d'aspect est indéniable.

576. *Aussi que* « à peu près »; cf. *AFW*, t. 1, p. 683.

578. Sur la *Maisnie Hielekin*, chasse fantastique, armée sauvage, armée des morts, outre notre *Adam de la Halle...*, pp. 147-158, et la définition d'A. Redondo (*La Mesnie Hellequin et la Estantigua : les traditions hispaniques de la « Chasse sauvage » et leur résurgence dans le Don Quichotte*, dans *Traditions populaires et diffusion de la culture en Espagne XVI-XVII*^{e} *siècles*, Presses universitaires de Bordeaux, 1983, p. I) : « C'est fréquemment dans les forêts ou en contact avec elles, pendant certaines nuits, et en particulier aux changements de saison, alors que la nature est en proie au vent et à la pluie, qu'apparaissait la chasse sauvage. On croyait voir surgir dans les airs, avec un fracas diabolique, une *troupe* fantastique de soldats, de chasseurs ou de damnés (parfois d'âmes en peine) qui disparaissait comme elle était venue. Il s'agissait souvent d'un groupe de cavaliers, accompagnés de leurs meutes, conduits généralement par un géant, un roi ou un seigneur »,

voir principalement les articles de G. Cohen, *Un terme de scénologie médiévale et moderne, Chape d'Hellequin-Manteau d'Herlekin*, dans *Etudes d'histoire du théâtre en France au Moyen Age et à la Renaissance*, Paris, 1956, pp. 67-70; *Chape d'Hellekin*, dans les *Mélanges Hoepffner*, 1949, pp. 113-115; M. Delbouille, *Notes de Philologie et de Folklore : 1/ la Légende de Herlekin; 2/ les Origines du lutin Pacolet*, dans *Bulletin de la Société de Langue et de Littérature Wallonnes*, t. 69, pp. 105-144 (article très intéressant dont on trouvera un résumé dans notre *Adam de la Halle...*, pp. 155-157 : il s'agirait à l'origine du roi breton Herla), et *A propos des articles °hara et °Herleking du FEW*, dans *Etymologica* (*Walther von Wartburg zum siebzigsten Geburtstag*, Tübingen, pp. 167-185); H. Dontenville, *Les Dits et récits de mythologie française*, Payot, 1950, ch. 1 (La chasse

Arthur) ; J.-J. Mourreau, *La Chasse sauvage, mythe exemplaire,* dans *Nouvelle Ecole,* n° 16, janv.-fév. 1972, pp. 9-43 ; le texte de Maurice Genevoix, *Beau François,* le livre d'H. Rey-Flaud, *Le Charivari* (chap. VI, *La Maisnie Hellequin et le Charivari,* pp. 89-103), Paris, Payot, 1985, et C. Ginzburg, *Charivari, associations juvéniles et chasses sauvages,* dans *Colloque sur le charivari,* publié par J. Le Goff et J.-C. Schmitt, Paris-La Haye-New York, 1981, pp. 131-140.

Selon L. Spitzer (*Arnaud,* dans les *Mélanges Hoepffner,* 1949, p. 108) : « M. Kemp Malone (*English Studies,* XVII, p. 140) a montré que les noms propres *Herlichin* et *Herlewin* doivent être analysés en *king* (le mot anglais pour « roi ») + *Herla* (diminutif de germ. *hari* « armée », nom désignant le dieu Wotan) et en *Herle wini* « les amis (*win* « ami ») de Herla (Wotan) ». J'ai pu montrer ensuite (*Studies in Philology,* 1944, p. 521) que *milites Herlewini* se continue dans *arlouyn* « souteneur », mot argotique attesté chez Villon, et M. Ch. Livingston a attesté le même mot *(herluin)* en afr. dans un fabliau du XIIIe s. au sens de « mari querelleur » (*MLN,* LX, p. 178). L'*l* est donc la consonne originaire dans cette famille de mots, l'*n* qui apparaît dans des formes comme *Hernequin, Hennequin* est dû à une assimilation à l'*n* final (cf. aussi *Chasse Arquin* en Touraine, nom de la chasse sauvage). D'autre part, l'évolution de sens des descendants de *familia Herlichini (mesnie Hellequin)* est connue : « esprit aérien » « diable » (afr. *Herlequin* dans Adam de la Halle, it. *Alichino* chez Dante, all. dialectal *Arlequinti,* d'où *(Karle) Quinte,* nom du chef de la chasse sauvage) > nom qu'un acteur italien aurait pris en France vers la fin du XVIe s. pour jouer le bouffon appelé Zanni (Sainéan)... La famille de *(h)arlot, (h)erlot* « vagabond, fripon » (angl. *harlot* « prostituée ») doit être due à une forme hypocoristique fr. de *Herlekin, Herlewin* formée avec le diminutif-*ottus* (cf. Charlot) dont le sens originaire aurait été « membre de la chasse aérienne » > « diable » > « vagabond » > « être jeune, remuant » > catal. des Baléares *atlot* « garçons ».

Le chasseur sauvage, « Hellequin, tantôt roi infernal, tantôt chef de ribaudaille », tantôt méchant et violent, tantôt ami *fin* et plein de courtoisie, est l'être ambivalent par excellence ; comme Fortune, aux côtés de qui on le rencontre souvent, il a deux profils : l'un beau et riant, l'autre affreux ». Cf. Ph. Walter, *op. cit.,* pp. 557 sq.

579. *Mien ensïant,* pour *mon* ou *mien escïent,* a sans doute été influencé par *entendement, entente,* qui ont provoqué la modification de la première syllabe. Cf. notre *Cours sur la Chanson de Roland,* Paris, CDU, 1972, pp. 128-131.

580. *Mainte clokete,* cf. *Renart le Nouvel,* éd. H. Roussel, vers 528-532 : *Orgieus chevauchoit cointement, / C'a se sele et a ses lorains / Ot .XV. cloquetes au mains / Qui demenoient grant tintin / Con li maisnie Hellekin.*

582. Nous préférons faire de ce vers une question de *la Grosse Femme* (sans doute Dame Douche) ; mais E. Langlois en faisait une simple affirmation.

583. *Si m'aït Diex,* ici simple renforcement de l'affirmation. Cf. L. Foulet dans *Romania,* t. 53, 1927, et notre éd. d'*Aucassin et Nicolette,* Paris, 1973, pp. 173-174.

588. *Ains* s'emploie aussi pour corriger « plutôt » « mais non », ou pour renchérir « que dis-je ? » « bien plus » (sens tiré de l'idée de préférence), même s'il n'y a pas de négation explicite dans le segment précédent. Mais dans ce cas il y a une négation implicite : *Il est d'Auchoire / Ains est franchois* (*Courtois d'Arras,* 207), « Il est d'Auxerre. — Mais non, il est Français » (Après *Il est d'Auchoirre,* la phrase est abrégée par brachylogie. Il faut comprendre *Non est, ains est Franchois,* « Non, tout au contraire, il est Français ») ». (Ph. Ménard, *Syntaxe,* p. 270).

590. *Hurepiaus.* A rapprocher de *herupé* (*Couronnement de Louis,* 507), « hérissé, hirsute » et de *herupage* (J. Bodel), « hérissé, farouche ». Croquesot devait porter une chevelure abondante et emmêlée qui évoquait son origine démoniaque et le tirait vers le grotesque. Selon A. Adler, il s'agit de la chape d'Hellequin, qui rappellerait celle d'Adam remarquée par le dervé (v. 422) et Croquesos (v. 655). Voir aussi G. Cohen, *art. cité* des *Mélanges Hoepffner,* pp. 114-115 : « ... Etienne de Bourbon, *Anecdotes historiques,* 1871 (2e moitié du XIIe s.) qui rapporte qu'un paysan a entendu les cavaliers de la *Mesnie* infernale d'Allequinus se demander l'un à l'autre : *Sedet mihi bene capucinum ?* « Me va-t-elle bien ma chape ? »... Il s'agit donc d'une question rituelle dont la signification profonde nous échappe et que la tradition ultérieure... a laissé se perdre. Elle pourrait se rapporter à une tête de mort, à un masque complet, comme en portent les enfants américains dans l'*East Anglia* [en fait, il s'agit d'une pratique courante aux Etats-Unis et au Canada (J.D.)] au *Halloween* qui est une fête des morts, la veille de la Toussaint, importée d'Angleterre, ce qui nous rapproche de la *gueule* du *crapault d'Enfer* de Mons ».

Pour Jean-Claude Schmitt, *Les Masques, le diable, les morts dans l'Occident médiéval,* dans *Razo,* n° 6, 1986, p. 98 : « ... le *hurepiaus* n'est pas un simple capuchon. Le livre de conduite des *Mystères de la Passion* de Mons, en 1501, mentionne également la « Compagnie infernale Hure » qui emboîte les pas du diable. La « hure » est la tête du sanglier, et aussi la tête grimaçante du diable, appelé parfois « hure ». *Hurepiaus* désigne une face hérissée de poils, barbue et chevelue (l'adjectif *barbustin* est explicite). Croquesot demande l'avis des spectateurs sur son masque sauvage et démoniaque, réellement représenté au théâtre, sous des traits fort semblables sans doute à plusieurs des masques des illustrations du *Fauvel.* Un intérêt de ce rapprochement est de mieux faire comprendre ce qu'étaient les masques du théâtre médiéval — seuls de tels masques démoniaques y trouvaient place — et de montrer leurs relations avec les traditions folkloriques ».

A la fin du Moyen Age, la mort était traitée de *laide hure ;* voir *le Jeu saint Loÿs,* éd. D. Smith, vers 18922-18923. Dans *Le Dit du Prunier* (XIVe siècle, éd. P.Y. Badel, vers 237-238), du héros *nice* qui vit parmi les vilains, il est dit : « ... *La teste avoit emplumée / et cavelure* (chevelure) *hurepee* ».

595. Nous avons adopté la ponctuation d'E. Langlois ; mais on peut faire de *me* un pronom personnel et ponctuer comme Fr. Michel : *Dites me, vielle(s) reparee.* Quant à l'adj. *reparee,* il ne semble pas qu'il faille y voir le sens favorable qu'indique E. Langlois (p. 62) « parée, ornée », mais plutôt celui de « replâtrée, recrépie, retapée ». Cf. *Chansons et dits artésiens,* variante du ms. B, IV, 57-60 : *Dame viez reparee / Qui ensi amez / En vilainne soudees / Vos cors deporter.* Voir aussi J.-Cl. Schmitt, *art. cit.*, pp. 90-91 : ... pour l'Eglise, tout masque est diabolique... Ainsi Etienne de Bourbon prêchait-il « contra illas que, cum sint vetule, quasi ydola se pingunt et ornant, ut videantur esse *larvatae* ad similitudinem illorum joculatorum qui ferunt facies depictas que dicuntur " *artificia* " gallice, cum quibus ludunt et homines deludunt ».

597. *Ne... ne... :* cf. G. Moignet, *Grammaire de l'ancien français,* p. 332 : « *Ne* coordonne en atmosphère non pleinement positive. Il peut correspondre à *et* comme à *ou* en phrase positive car l'opposition de sens entre ces deux termes se neutralise quelque peu quand la pleine positivité est quittée (...). *Ne* est la coordination disjonctive la plus courante en proposition interrogative ».

603. Ce passage comporte des échos du *Jeu de saint Nicolas* de J. Bodel : *A cui iés tu ? — Je suis au roi* (v. 266)... *Je faç que faus, qui tant demeure* (v. 273)... *Avés oï, sire courlieu ?* (v. 292).

Pour *barbustin,* plusieurs propositions ont été présentées : « jeune barbu » (E. Langlois), « petit barbu, jeune homme » (J. Frappier), « blanc bec, épouvantail, homme masqué » (O. Gsell), « homme d'arme » par rapprochement avec *barbute* « casque de fer qui couvrait la tête et le cou » (Fr. Michel), « diablotin », à rapprocher de *barbeu* « loup-garou », *barbou* « diable », formes dérivées, selon le *FEW*, de l'onomatopée *bau* marquant l'effroi, qui se serait croisée avec *barbe* (Cl. Buridant et J. Trotin), « petit barbu ventru », le mot venant de *barbu* et le suffixe *-stin* étant emprunté à *canebustin* (v. 192) (J. Dufournet).

609. *Misent lieu* « fixèrent un rendez-vous ». *Misent :* forme picarde du passé simple 6 en face du francien en *-irent, -isdrent, -istrent* (cf. Fouché, *op. cit.*, pp. 274-275, 284-285 ; Gossen, *op. cit.*, p. 111).

614. E. Langlois a fait de *a* une préposition employée dans le tour *venir a bien.*

620. *De par* « par l'ordre de » est une altération de l'expression *de part* signifiant « de la part de ». Cf. *Chanson de Roland,* 2847 : *Sein Gabriel, ki de par Dieu le guarde...*

622. Voir D. Poirion, *Le rôle de la fée Morgue et de ses compagnes dans le Jeu de la Feuillée,* 130 : « Il est naturel de penser que les trois compagnes retrouvent ici le rôle de l'ancienne triade gallo-romaine des divinités protectrices appelées sur les inscriptions *Matronae* ou *Matres* ».

624. *Maglore,* doublet de *Magloire;* mais J. Grimm fait venir ce nom de *Mandegloire* « mandragore ».

626. *Serai,* graphie de *serrai* « je m'assiérai ».

628. *Assie.* Voir Miss Pope, *From Latin to Modern French,* § 1057, p. 387 : « In the spelling of the other participles ending in *t* or *s,* whose feminines were more frequently used — *cuit, dit, conduit,* etc. *confit,* etc. *destruit, assis, clos, mis, quis* and *perclus,* the etymological consonant was retained, although spellings such a *destruy, assy, confi, qui,* etc. are occasionally found ». Miss Pope attribue ces modifications au moyen français : il semble que certaines formes datent au moins du XIIIe siècle.

628-629. Priver Maglore de couteau était grave, car, la fourchette étant inconnue au Moyen Age, c'était en quelque sorte lui interdire de participer au repas. D'autre part, c'était un motif littéraire et folklorique : ainsi, dans *Amadas et Ydoine,* Atropos, l'une des trois Destinées, parce qu'elle a été privée de couteau, se venge en empêchant le futur mari d'Ydoine de consommer son mariage. Motif obligé du folklore, héritage des Parques (le couteau coupant le fil de la vie), élément du comique par le retour de l'expression, omission grave qui prive Maglore de participer au repas, tout cela est vrai. Mais le rôle de cet oubli est tout aussi important dans la structure et la symbolique de la pièce. Refuser le couteau à Maglore, c'est lui refuser, au début de la féerie, de mutiler les Arrageois, c'est-à-dire les humains, lui ôter une arme redoutable. Mais elle tournera cette difficulté : la fin de la féerie marque son triomphe. Enfin, le couteau de Maglore rappelle les *couteaux* du portrait de Maroie (vers 146).

632. Nous avons gardé le *a* du manuscrit que Langlois a corrigé en *ai.* Il s'agit du tour impersonnel *nul n'en a* « il n'y en a aucun ». Selon M. Rousse, « syntaxiquement, *i* est presque indispensable ici. Dans l'emploi impersonnel du verbe *avoir, i* est omis lorsque la phrase compte une indication de temps ou de lieu (complément, adverbe, proposition) ; *i a* ne compte qu'une syllabe (cf. vers 193) ».

636. *Ne vous caille.* 3e personne du subj. présent de *chaloir* « importer », en face de *ne vous caut,* 3e personne de l'ind. présent.

642-643. … *esgarde / Que chi fait bel et cler et net.* L'auteur invite à apprécier la mise en scène par ces mots qui ont aussi une valeur symbolique : la féerie devrait être l'expression de la beauté, de la lumière et de la propreté.

644-669. Remarquer la quadruple structure en chiasme du passage. Voir notre note dans *Romania,* t. 99, 1978, p. 104. Noter aussi un jeu sur l'emploi de l'adverbe *si* (vers 644, *s'* = c'est pourquoi ; vers 652, *s'* = de plus ; vers 655, *s'* = de plus ; vers 656, *s'* = c'est pourquoi) et, aux vers 660 et 668-669, la présence de l'argent qui entoure l'amour et la poésie courtoise : l'argent investit, détermine et dégrade toutes les réalités arrageoises, en particulier l'amour et la poésie.

649-650. *Metre le tavle*, « installer les tréteaux » (se rappeler qu'au Moyen Age les tables étaient démontables), tandis que *l'appareillier* signifiait « la garnir de tout ce qui est nécessaire au festin, mettre le couvert ».

Sur le repas, voir J. Grisward, *Les Fées, l'Aurore et la Fortune (mythologie indo-européenne et Jeu de la Feuillée)* dans les *Mélanges A. Lanly*, 1980, p. 132 : « Les trois fées et l'offrande du repas appartiennent à la mythologie et au rituel des commencements : commencement de l'année, commencement des saisons, commencement de la vie... Les converg^nces que suggère l'article de J. Knobloch n'invitent-elles pas à croire qu'en cette nuit de mai Arsile, Morgain et Maglore présidaient aussi au commencement du jour ? »

652. *Ches gens*. Les gens de l'assistance.

656. A rapprocher du *Jeu de saint Nicolas*, 834 : ... *mieus t'en sera* « tu n'auras pas à te plaindre », « tu en tireras avantage ».

662. *Amoureus* « aimable, épris », mais aussi, comme le pensait J. Frappier (*op. cit.*, p. 99) « cet adjectif ne saurait être pris ici dans son sens banal. Il implique une ferveur lyrique inspirée par la pensée de la dame et de l'amour, il s'apparente de près à la « joie » des trouvères et des troubadours ». Pour A. Adler, les vers 664-665 soulignent et nuancent le sens de l'adj. *amoureus :* poète courtois, Adam doit composer des chansons d'allure courtoisement joyeuse, des chansons d'amour courtoises. Le beau et le vrai ne se distinguent pas : *apprendre, retourner au clergé*, c'est être amoureux, *bons faiseres de canchons*. Selon Sutherland, *art. cit.*, p. 421 : « Adam is here following closely in the steps of the troubadours by whom he was so profoundly influenced; the praise of their own talents is a cliché with them, from the *Non es meravelha s'ieu chan / Mielhs de nul autre trobador* de B. de Ventador to the boast of Peire Vidal : *Ajostar E lassar Sai tan gen motz e so Que del car Ric trobar Nom ven hom al talo*. Adam has found a more discreet and at the same time more dramatically effective way of asserting his poetic prowess ».

669. *Venir bien* « prospérer ».

670. *Despit*. On a tendance à traduire par « colère, amertume »; mais ne peut-on garder le sens le plus courant, à savoir : « Ne manifestez pas un tel mépris à notre égard qu'ils... » ?

682. *Pelés*. Que représente ce don de Maglore ? Certains, comme A. Guesnon (*Adam de la Halle*, p. 198), ont pensé qu'il décrivait la réalité présente d'un Riquier déjà chauve. Il faut plutôt y voir un sens symbolique : Riquier perdra sa virilité, ou sa *clergie*, car on rasait les clercs dégradés pour ôter toute trace de tonsure. Voir notre *Adam de la Halle...*, pp. 169-170.

683. O. Gsell cite les vers 444-445 d'*Audigier : Audigier ot un queu q'ot nom Hertaux ; / Il fu devant pelez, derriers fu chauz.*

686. *Atruandis* « réduit à l'état de truand, encanaillé ». Il semble que le mot apparaisse ici pour la première fois.

688. *S'ouvlier* « oublier sa vraie nature, son idéal ». Cf. M. Pelan, *Old French s'oublier. Its Meaning in Epic and Courtly Literature*, dans *Romanistisches Jahrbuch*, t. 10, 1959, pp. 59-77.

689. *Mole et tenre :* à rapprocher de *Robin et Marion*, v. 552 : *Si te senti je tenre e mole*. Ce qui tend à faire de Maroie une fille de la campagne, proche des pastoures. Cf. notre art. des *Mélanges F. Lecoy*, p. 83. Cl. Mauron (*op. cit.*, p. 100) y voit une antiphrase cruelle : Maroie est brutale et dure.

690. La correction d'E. Langlois *si que* est inutile. *L'aprenre*, inf. substantivé, « le fait d'apprendre ». Comme le picard n'intercalait pas de consonne de liaison *d* ou *b* dans les groupes secondaires *l'r, n'r, m'l* (ex. *teneru* > *tenre en* pic. / *tendre* en fr. ; °*venirat* / *venra* en pic. / *vendra* en fr. / *viendra* en fr. moderne), par analogie le *d* étymologique a disparu de certains verbes en *dre :* ainsi *aprenre* pour *apprendre* (Gossen, § 61 b).

694. « Par l'âme qui soutient mon corps » « par l'âme qui me fait vivre », *li cors* étant un substitut expressif de *je* (Cf. Ph. Ménard, *Syntaxe de l'ancien français*, § 58). O. Gsell (p. 306) décèle dans ce vers une contrepèterie, *Par le cors ou l'ame me repose*, sur le modèle de celle que fait Pincedé dans le *Jeu de saint Nicolas* (v. 822) : *En autre lievre gist li bus*, déformation du proverbe n° 672 du recueil de J. Morawski : *En petit boisson trove len grant lievre*. Mais cette plaisanterie peut étonner dans la bouche d'une fée, à moins que ce ne soit l'annonce du retournement final.

697-698. Sur la rime *puis / requis*, voir G. Lote, *Histoire du vers français*, t. III, p. 164 : « Cette assonance ou cette rime ne devient possible que lorsque la diphtongue *ui*, au lieu de rester descendante (*uy*), prend une accentuation ascendante. L'ancien usage se maintient très longtemps, mais au XIIe et au XIIIe siècle, les exemples de I : UI, justifiés par la prononciation *wi*, qui est la nôtre, sont innombrables, cf. *esperit : guit* (Saint Brendan), *deduire : martire* (Philippe de Thaon) ».

Sur l'indicatif après *mout me repenc*, voir G. Moignet, *Essai sur le mode subjonctif*, t. II, p. 319 et *Grammaire de l'ancien français*, p. 225 : « ... l'appréciation porte sur ce qui est reconnu comme fait établi ou probable, et dans ce cas la critique n'opère pas et la complétive est à l'indicatif ».

Riens a gardé le sens positif (cf. aussi vers 705) que le mot, issu du latin *rem* « chose », avait à l'origine, et qu'il a encore après *sans, sans que...*, dans des propositions conditionnelles, dans des phrases interrogatives ou dubitatives. Cf. Grevisse, *Le Bon Usage*, § 592.

699. *Par ches deus mains*. Cette expression, qui se trouve au vers 677 de la *Pipée*, sert à attester la véracité d'une promesse ou d'une opinion. Elle prend à témoin de ce qu'on avance une partie du corps particulièrement précieuse ; elle est comparable à « je le jure sur ma propre tête », ou à « par la prunelle de mes yeux ». Selon Michel Rousse, « les exemples de la *Farce du Retrait* (vers 72-74) et de l'*Enquête* de Coquillard (éd. Freeman, p. 109, vers 911-915)

peuvent suggérer une autre explication : *par ces deux mains* renverrait à un rite de serment où l'on s'engage en mettant ses mains dans celles de la personne à qui on fait promesse. L'expression servirait à renvoyer à ce geste destiné à fournir une garantie particulièrement solennelle de la véracité de ce que l'on énonce. Elle est essentiellement attestée dans le théâtre ». Cf. *Le Savetier et le moine, Recueil Cohen,* p. 263, vers 246-247 ; *Mistère de saint Adrien,* vers 8406-8407 ; *Watelet de tous mestiers,* vers 191 ; *le Mystère des Trois Doms,* pp. 40 et 168, etc.

706. *Mire :* subj. du verbe *merir* « récompenser, rendre ». Partir de la forme *méreat :* l'*i* de *mire* s'explique par la réduction de la triphtongue *iei,* formée par la coalescence de la diphtongue *iéi* issue de la segmentation de l'*e* bref accentué et de l'yod anticipé.

708. Situation identique dans *Robin et Marion,* v. 83 : *Vous perdés vo paine.*

710. *Tourner son cuer aillours* « aimer quelqu'un d'autre ».

717. Emploi ironique de *demoisel,* jeune noble en état de faire ses premières armes mais qui n'est pas encore chevalier. Le mot insiste sur la noblesse du personnage. Il a pu s'appliquer à de jeunes chevaliers dont on souligne ainsi l'impétuosité et la vigueur ; c'est alors un synonyme de *bacheler.*

Une habile progression scande la démythification du faux héros : *demoisel* (717) — *uns* (730) — *varlet* (740) — *tel home* (749) — *tel cacoigneur* (757).

718. *Tex. C. mile :* sur cette expression, cf. Cl. Régnier, éd. de *la Prise d'Orange,* Paris, 1969, p. 126 : « Nous rappelons les deux emplois de *tel* suivi d'un nom de nombre :
1°/ *Tel* peut impliquer une comparaison raccourcie : *Fierabras, AP,* v. 3719 : *S'il estoient tel. C. en cel palais listé, / Fuir nous convenroit par force du regné* (= cent hommes tels que lui »).
2°/ pour le second emploi, H. Suchier avait proposé : « bien » (wohl), « environ » (ungefähr) dans la *Chançun de Guillelme* 492 ; le *Kristian von Troyes Wörterbuch* de Förster-Breuer traduit de même dans *Yvain* 2443 *tes(nonante)* par « largement » (so gut wie) ; mais Schultz-Gora a nié cette valeur (*Folque de Candie,* III, 5108). A juste titre : car dans tous les cas *tel* annonce la conjonction ou le relatif suivant, le subordonnant pouvant n'être que suggéré... »

719. *Ou* pronom relatif ; mais peut-être y a-t-il une équivoque et faut-il aussi comprendre : « ou bien nous nous tourmentons en vain ». *Nous* est un complément d'objet, le sujet n'est pas exprimé, la première place de la proposition étant occupée par le locution adverbiale *pour noient. Traveillier* a ici le sens fort de « se tourmenter ».

723. *A tavle ronde :* il s'agit de tournois et de fêtes imités des récits arthuriens. « La mode des tournois et des tables rondes avait été lancée par les nobles de Chypre vers 1223 ; dès 1240, Ulrich von Lichtenstein joutait contre tous ceux qui relevaient ses défis en

Autriche ; Edouard Ier d'Angleterre, grand amateur de légendes chevaleresques, fit ouvrir le tombeau du roi Arthur en 1278 ; la même année, Robert II d'Artois, le futur patron du Bossu, joua le rôle du Chevalier au lion, selon le *Roman du Hem,* tout imprégné des souvenirs de Chrétien de Troyes, dans une fête organisée à Hem-Monacu, entre Bray et Péronne. L'influence du Roman de Lancelot en prose se fit sentir non seulement dans la société chevaleresque des XIIIe et XIVe siècles, mais elle éclaire aussi de ses lueurs illusoires l'existence des riches bourgeois des villes du Nord, toujours empressés d'imiter leurs nobles seigneurs » (N.R. Cartier, p. 137). Cf. aussi Cl. Buridant et J. Trotin, *trad. cit.*, p. 72. Sur les tournois, voir la thèse de M.-L. Chênerie, *Le Chevalier errant dans les romans en vers des XIIe et XIIIe siècles,* Genève, Droz, 1986. Sur l'origine de la Table Ronde, voir Jean Marx, *La Légende arthurienne et le graal,* Paris, 1952, pp. 95-107.

On notera la comparaison filée — et ironique — entre Sommeillon et Lancelot : *a tavle ronde* rappelle les compagnons d'Arthur dont faisait partie Lancelot ; *le miex ou le piz* évoque le tournoi de Noauz où Lancelot, jouta au pis, puis au mieux.

725. *Soi aidier,* par son double sens (1/ se tirer d'affaire, 2/ être fort sexuellement) amorce le retournement qui suit.

725-726. On a la même rime dans la pièce XV des *Chansons et dits artésiens,* vers 97-98 : *J'eslesisse nounain, se Diex me puist aidier, / Se ne fust li pesance que j'euc a Mondisdier.*

729. E. Langlois a corrigé en *es espaules.*

Sur ce passage, voir notre livre sur *Adam de la Halle...*, pp. 174-175.

730-731. Si le rouge signifiait l'ardeur amoureuse, le vert marquait la nouveauté, le changement, la versatilité. Les jeux phoniques attirent l'attention sur ces deux vers : *uns a uns / vers dras* et *vermeille / roiiés* et *roie.*

735. *Ou Marchié droit.* Pour *droit,* cf. *Chansons et dits artésiens,* p. 44, vers 62-63 : *— Dont estes vos ? — Devers saint Pol. / — De Saint Pol droit ? — Voire en le vile.* Il s'agit sans doute de la grande place du Marché : voir notre *Adam de la Halle...*, p. 219.

739. *Faire le gambet* « faire un croc-en-jambe ».

740. Emploi ironique du mot *varlet,* adolescent de famille noble qui sert à la cour d'un grand pour apprendre les armes et les bonnes manières. Voir notre éd. d'*Aucassin et Nicolette,* 1973, p. 165.

742. *Dehaign'on.* « Haïr », « railler avec insolence ». Mot du Nord-Est au Moyen Age.

745. *Porter bonne bouche.* On peut hésiter entre plusieurs traductions : « avoir bonne réputation », « ne pas avoir mauvaise langue », « faire les bonnes réputations », « savoir parler aux femmes », « être discret ». Voir *Les Cent Nouvelles Nouvelles,* éd. Sweetser, p. 268 : *Et n'estoit ame que rien sceust de leur tresplaisant*

passe temps, sinon une damoiselle qui servoit ceste dame, qui bonne bouche treslonguement porta ; et E. Faral-J. Bastin, éd. de Rutebeuf, p. 310, note au v. 151 : « porter bone bouche ». Selon le T.L. « avoir bonne réputation ». Le sens serait alors ici : « ils ont bonne réputation et chacun doit craindre le blâme (de ne pas les accueillir) ». Toutefois, des deux exemples (outre le nôtre) appuyant cette traduction, celui du *Jeu de la Feuillée,* v. 745, n'est pas probant : le contexte indique plutôt le sens « se taire, être discret », qui est couramment celui de *avoir bone bouche,* et quant au texte du *Geus d'aventures* (Jubinal, *Jongleurs et trouvères,* p. 157), le sens n'en est pas certain. Il n'est pas tout à fait exclu que, dans notre passage, l'expression puisse signifier « font les bonnes réputations » (cf. v. 166-170) ».

747. *Que vaut che ?* Expression figée, très fréquente par ex. dans un texte comme l'*Histoire de l'Empereur Henri de Constantinople,* d'H. de Valenciennes, qui met un terme à la discussion, traduite par « C'est décidé » (E. Langlois), « A quoi bon des discours ? »

748. *Le cuer n'avés mie en le cauche* « Vous n'avez pas froid aux yeux », « Vous avez le cœur bien accroché ». Plusieurs expressions du même type désignaient la vaillance : *ne pas avoir le cuer en la chauce* (*Ipomédon,* 8494), *ne pas avoir le cuer en le braie* (*Escoufle,* 1128)*; avoir le cuer long de la chauce* (*ibidem,* 1162) ; *Et mes cuers est de grant esveil / Que ne me gist mie en l'orteil* (*Athis et Prophilias,* 10671-10672). Cf. *Cent Nouvelles Nouvelles, éd. cit.,* p. 497. Beaucoup de locutions péjoratives ont été formées avec *chausses* pour indiquer le manque de hardiesse masculine : *tirer ses chausses* « détaler », *faire dans ses chausses* « avoir peur », *porter les chausses* (en parlant d'une femme) « porter la culotte ».

749, 757. *Penser a* « aimer ».

750. Dans le pays d'Artois, cf. B. Fastoul, *Congés,* 364 : *Ki soit entre le Lis et Somme.* M. Dussol suggère d'y voir un jeu de mots : « entre le lit et le sommeil ».

751. *Buhotas,* creux comme un tuyau (*buhote*), trompeur. Cf. *Dit d'Amour,* v. 100-102 : *Tu* (il s'agit de l'amour) *ies plus fausse que buhote, / Car chascuns qui a toi se frote / Se plaint et tient pour engané,* et *Chansons et dits artésiens,* XXII, 21. Mot de l'aire picarde.

752. *Monter seur le tas.* Il faut sans doute donner à ce vers un double sens, d'une part, celui qu'E. Langlois a mis en avant, « dominer », et qu'a repris M. Ungureanu (il s'agit d'un arriviste sans scrupule, qui veut prendre la première place), d'autre part, celui que L. Foulet a découvert (*Romania,* t. 67, 1942-43, pp. 367-369), « jouir d'une femme », « courir le jupon », *tas* étant synonyme de *mote,* en s'appuyant sur les *Cent Nouvelles Nouvelles,* 76, 81 : *Or est tout prest, et noz sire appellé, et au plus doulcement qu'il peut entre dedans le lit, et sans gueres barguigner il monte dessus le tas pour veoir plus loing.*

754. *C'est mon. Mon,* particule confirmative très usitée en afr., s'employait dans trois catégories de tours : 1°/ avec *savoir,* surtout

dans la locution *(a) savoir mon (si)* « pour bien savoir si » ; 2°/ avec *estre, faire, avoir* et *couvenir,* dans des locutions de même structure : *ce* + verbe + *mon,* comme *c'est mon, ce sera mon* « oui certes, assurément », *ce fait (fais, fera, ferez, fis) mon* « sûrement », *ce a mon, ça mon, sa mon* « c'est mon avis », *ceo convient mon... ;* 3°/ avec un impératif comme dans les phrases suivantes : *Oiez mon* « écoutez bien », *Voyez mon, Dites mon...* Au cours du XVIe siècle, l'expression s'est raréfiée ; elle ne fut que rarement employée au XVIIe siècle comme expression populaire. L. Spitzer a proposé de faire dériver *mon* de *moneo* (*La particule mon,* dans les *Publications of the Modern Language Association of America,* t. 61, 1946, p. 614), mais il semble préférable de s'en tenir à l'explication de Diez qui faisait remonter *mon* à *munde* « nettement ». Voir l'art. de N.L. Corbett, *La notion de pureté et la particule mon,* dans *Romania,* t. 91, 1970, pp. 529-541.

757. *Cacoigneur,* composé du préfixe péjoratif *ca-* (voir *cahutte, cahoter, cafouiller, cabosse ;* cf. Cl. Brunel, *Le préfixe ca- en picard,* dans *Etudes romanes dédiées à M. Roques,* pp. 119-130) et de *cogner ;* de là deux sens : « querelleur, bagarreur » et « débauché, enclin à la bagatelle ».

758. *Gringneur ;* en picard, le *e* + *l, n* mouillés dans la syllabe initiale, se ferme en *i* (cf. P. Fouché, *Phonétique du français,* t. II, p. 447) : *signeur, milleur, villier, grigneur...,* tandis qu'en syllabe prétonique, le *e* se ferme en *i* aussi bien en français qu'en picard : *paveillon/pavillon, oiseillon/oisillon.* Cf. Cl. Régnier, *Romance Philology,* t. 14, 1960, p. 265.

767. *Roee.* A rapprocher du ms. E des *Congés* de J. Bodel (éd. P. Ruelle, pp. 118-120) : *Com plus fui en la roe haus / Et j'oi fait tous mes enviaus / Lors me convint perdre le giu.*

768. *Esamples.* « Le mot *essemple* qualifie, en ancien français, toute illustration concrète d'un discours moral, qu'il s'agisse d'une anecdote édifiante ou de la traduction imagée d'un concept » (J. Ch. Payen, *Genèse et finalités de la pensée allégorique au Moyen Age,* dans la *Revue de Métaphysique et de Morale,* t. 78, 1973, p. 468).

770. Pour ce vers, on peut hésiter entre plusieurs traductions. Ou bien donner à *apartenir* le sens d' « être parente de », comme le veut O. Gsell (p. 310). Ou bien, avec E. Langlois, traduire ce verbe par « dépendre » ; mais alors on peut faire de *chascune de nous* soit le complément du verbe (Langlois, J. Frappier-Gossart), soit le sujet, mais cette dernière solution est peu plausible. Selon J. Grisward, *art. cité,* p. 124, « Plutôt qu'une notion de dépendance ou de possession, *apartenir* nous semble exprimer ici, conformément à son sens premier, une nuance de proximité, une idée de ressemblance, un lien de parenté. Figure féminine, Fortune est une sorte de quatrième fée, indissolublement liée aux trois autres. »

773. *Fortune.* Vieux thème que l'on retrouve tout au long du Moyen Age. Cette capricieuse déesse, maîtresse tyrannique du monde entier, représentait pour les gens du Moyen Age « la fatalité, le hasard, le principe de l'impondérable et de l'inexplicable,

l'explication du mystère, la loi de la justice immanente » (I. Siciliano). Cette sombre déesse, inventée par Boèce dans *De Consolatione Philosophiae,* chantée par Henricus Septimellensis, n'a cessé de hanter les esprits et les livres, tantôt providence divine, tantôt hasard et aventure. Si Jean de Meun hésite entre ces deux pôles, Adam de la Halle, plus pessimiste, semble identifier la Fortune avec le triomphe de l'irrationnel aveugle dans la *Feuillée* où la Fortune a son visage traditionnel, accompagnée de sa roue, aveugle, muette, ne donnant aucune explication de son comportement, sourde aux accusations comme aux supplications des victimes, indifférente aux mérites et aux actes des hommes. Cf. J. Frappier, *Etude sur la Mort du roi Artu,* Paris, Droz, 1936, pp. 258-288 ; R. Ortiz, *Fortuna labilis, Storia di un motivo poetico da Ovidio al Leopardi,* Bucarest, 1927 ; H. R. Patch, *The Goddess Fortuna in Mediaeval Literature,* Harvard University Press, 1927 ; I. Siciliano, *François Villon et les thèmes poétiques du Moyen Age,* Paris, 1934 (2e partie, livre II, chap. III). Sur ce passage, voir notre *Adam de la Halle...,* pp. 187 sqq. On trouve la même conception de la Fortune dans un texte contemporain de Rutebeuf, *De Monseigneur Anseau de l'Isle,* vers 25-40 (éd. Faral-Bastin, t. I, p. 515). Voir aussi *Floire et Blancheflor,* 2495-2524 ; *la Manekine,* 1084-1094, 4636-4714, etc.

Selon J. Grisward, *art. cité,* p. 122 : « ... les *fées* et *Fortune,* la double image du Destin autour de laquelle s'organise la scène centrale du *Jeu,* dessinent un couple structuré, homologue à celui que composent respectivement avec l'*Aurore* la *Fortuna* latine et le *Bhaga* indien ».

780. Nous avons fait de *Fortune* le sujet de *bescoche :* « ...si la Fortune déclenche cette roue dans le mauvais sens ». Dès le plus ancien français, *bes-,* qui vient de *bis,* se généralise au sens de « faux, mal fait, contrefait ». *Bescochier* a pu ainsi prendre l'acception d' « aller de travers », « mal tirer », « tricher ».

782. *Lassus.* Cf. A. Henry, éd. du *Jeu de saint Nicolas,* p. 201 : « *Honni ssoient* (*idem* au v. 1127) et non *honni* (après correction) *soient :* fait de phonétique syntactique et non de morphologie ; il n'est pas question de corriger. Le copiste distingue nettement *honissoient* (comme ici) et, par exemple, aux vers 1089 et 1340, *honnis soie, honis soit* ».

790. *Chil doi :* E. Crespin et J. Louchart (on remarquera que l'auteur fait attendre la réponse). *Conte :* Robert II d'Artois.

791. Voir le sermon *Dont ausint a il plus* (Arsenal 2058, f. 59 r. 1) : « Tot ausint con l'en dit d'aucun : « Cist est rois » ou « arcevesques », porce qu'il est bien familiers au roi ou a l'arcevesque, que il a grant pooir vers li ; si que aucune fois dit en : « Cist est ses mestres, l'en ne feroit rien sans li. » Ou encore Rutebeuf, *Bataille des Vices contre les Vertus,* vers 68-69 : *Que li Frere sont or seignor / Des rois, des prelats et des comtes.*

798. *Sont bien venant* signifie exactement « sont en train de réussir » c'est-à-dire « de parvenir au sommet de la roue ».

803. *S'embrusque*. Ce verbe ne signifie pas : « se tient au sommet », comme l'a cru E. Langlois ; mais c'est, selon J. Bastin (c.r. cité) la forme picarde de *s'embronchier*, « se pencher en avant, tomber tête la première, s'incliner » ; cf. le *Jeu du Pèlerin*, v. 61.

803-809. Voir l'habile progression de l'image dans une série qui nous montre le cavalier s'incliner sur le cou de sa monture (*s'embrusque*, 803), basculer (*trebusque*, 804), être désarçonné (*le desmonte*, 808), enfin se retrouver les quatre fers en l'air (*et tourne chu dessous deseure*, 809).

805. *(Faire) pille ravane*. Sans doute composition tautologique, du même type que *tournebouler* et *culbuter*, et formée de *piller* et *raviner*, doubler de *ravir*, refait en *ravane* pour la rime avec *Bouriane*. Cf. notre *Adam de la Halle...*, pp. 193-194.

806. Sur cette affaire, voir l'art. de Guesnon qui a publié l'enquête de 1289 (*Adam de la Halle et le Jeu de la Feuillée*, dans le *Moyen Age*, t. 28, 1915, p. 227).

808 et 817. Pour désigner la même réalité, la fée Magloire emploie une expression très forte, *desmonte*, qui correspond à son tempérament violent, tandis que Morgue se contente d'une expression plus discrète *(avale)*.

817. Il faut préciser que le clerc qui exerçait le métier de brasseur était déclaré bigame. Dans une chanson anonyme, il est dit que les Anglais ont introduit à Arras l'usage de la bière que le trouvère dénigre en prétendant qu'elle rend malade et en louant le vin, surtout le vin de l'année qu'il invite à boire. Voir, sur ce point, l'explication de Guy Paoli, *op. cit.*, p. 115. « Le poète souligne l'écart social qui existe entre un drapier et un brasseur, entre un « métier noble » et un « petit métier ». Mais l'on est en droit de se demander si Thomas de Bourriane, en optant pour la goudale, n'avait pas perçu l'avenir commercial qu'elle allait connaître. Là où Adam de la Halle ne voit qu'un piteux expédient, n'y avait-il pas une audace de franc-tireur qui permit, il est vrai, d'abattre plus vite l'infortuné échevin ? N'avait-il pas misé, peut-être prématurément, sur l'opération à laquelle se livra un d'Artevelde à Gand, en s'inscrivant dans la quatrième décade du XIVe siècle, au rôle des brasseurs ? »

822. Un *Leurin Cauwelau* est mentionné dans le *Nécrologe* d'Arras (1280). Le nom commun signifie « maquignon » ; cf. les *Chansons et Dits artésiens*, n° 20, v. 50 : *Jou ne sui mie cauwelaus*. Voir A. Guesnon, *La Satire à Arras*, dans le *Moyen Age*, t. 13, 1900, p. 119. Si on lit, en corrigeant, *li Cavelaus*, faut-il croire, comme le suggère Marcel Faure, que Leurin est le Chevelu et, par antiphrase, le Chauve, c'est-à-dire celui qui n'a plus rien, qui est complètement tondu et qui a perdu toute force ?

824-825. Ce passage est difficile. Certains, comme E. Langlois et J. Frappier, ont lu *par lever* et fait d'*aucune bele cose* soit le complément de *lever*, de là la traduction d'E. Langlois (« Madame, si, il le peut, en produisant quelque belle chose ») et l'interprétation de N.R. Cartier (« Pour faire tourner la roue de Fortune, pour ouvrir un œil bienveillant à cette déesse aveugle — comme à la Justice — il suffit d'une offrande portée en haut lieu, d'un pot de vin, si l'on peut dire », *op. cit.*, p. 143), soit le sujet de *lever :* ainsi J. Frappier et A.-M. Gossart : « Si, dame, il le peut, si quelque belle chose là-haut s'élève ». Mais on peut lire *parlever* et faire d'*aucune bele cose* le complément (cf. Fr. Michel : « Il peut bien encore élever quelque belle chose en haut ») ou le sujet : « Quelque belle chose peut s'élever bien en haut ». Otto Gsell, à la suite d'E. Lintilhac (*Histoire générale du théâtre,* t. II, p. 73), aurait tendance à y déceler un sens libre, *cose* étant un substitut de « membre viril ». La meilleure explication est sans doute celle que nous a proposée notre maître Claude Régnier qui comprend, avec la coupure de *par lever :* « Si, il peut le faire (i.e. se relever), par le moyen d'une circonstance heureuse qui l'amène en haut ». *Par* + infinitif a pour sujet *aucune bele chose.* Dans les constructions avec l'infinitif, on ne met pas le pronom complément d'objet.

825. Pour la mise en scène, il faut penser que la roue de Fortune s'arrête au vers 782, demeure immobile pendant toute la scène, puis, après le vers 825, se remet à tourner rapidement.

828. *S'envoise,* du latin *invitiare* (v. construit sur *vitium*). Ce verbe a survécu dans les parlers gallo-romans dans le sens de « gâter, dorloter » et surtout « se réjouir » ; en fr., il semble n'avoir guère survécu au-delà de 1300 (*FEW,* 803). *...Envoisié, envoiseüre, envoisier* sont toujours employés pour exprimer la gaieté, l'enjouement d'une attitude, souvent dans l'entourage de mots comme *joli, chanter, rire... S'envoisier, se renvoisier, s'esbaudir, se resbaudir* apparaissent souvent comme de simples variantes stylistiques de *faire joie, mener joie, demener joie,* et peuvent être utilisés à propos du chant des oiseaux comme *fere (mener, demener) joie (baudour).* Cf. G. Lavis, *L'Expression de l'affectivité dans la poésie lyrique française du Moyen Age, XIIe-XIIIe s.*, Paris, 1972, pp. 255-257.

831. En ancien français, *mais* se combinait avec beaucoup d'adverbes temporels : *hui mais, des or mais* (à partir de maintenant et en continuant dans l'avenir), *toz (les) jors mais* (toujours en continuant), *onques mais, ja mais...*

833. *Di li* pour *di le li.* Cf. Ph. Ménard, *Syntaxe de l'ancien français,* p. 67, § 50.

836. La variante *hielepiaus* est à rapprocher de la forme *hielekin* du v. 578.

840. On peut comprendre « Ne faisons plus de séjour » ou « ne faisons pas plus de séjour ».

843. *Esraument,* formé sur *errant,* part. prés. employé comme adverbe, avec une brisure dialectale de la voyelle nasalisée.

843-847. Les propos de Magloire redoublent et précisent ceux de sa compagne. Ce qui maintient une légère différence entre les deux fées, Magloire étant plus autoritaire et plus liée à la sorcellerie.

847. *Est chou gille?* Outre le retour d'un mot-clé, c'est peut-être une allusion aux pratiques par lesquelles les sorcières contraignent les puissances surnaturelles à se plier à leurs volontés.

850. Pourquoi Dame Douche se plaint-elle que le retard des fées lui ait apporté *grans diffames* aussi bien que *grans anuis?* C'est sans doute parce que son pouvoir à évoquer les puissances maléfiques a semblé moins efficace aux yeux du public.

854. Le lieu de la *Croix-au-Pré* a été choisi, parce que les sorciers se réunissaient aux carrefours, en des endroits plantés d'une croix.

858-860. Sans doute s'agit-il du médecin qui, par ses pratiques et ses propos, a dénoncé publiquement la débauche de dame Douche. *Manïer,* qui peut avoir le sens érotique de « caresser », paraît être une allusion aux pratiques des sorciers et jeteurs de sorts sur les figurines représentant les personnes à envoûter.

862. C'est-à-dire tordus. On peut voir dans ce vers une sorte d'incantation maléfique. O. Gsell (p. 313) fait un rapprochement avec Matheolus : *Le plus chetif de tous clamés / Pour ce que je suy bigames, / Serf des serfs en toute maniere / Et tourné ce devant derriere.* Cl. Mauron (*op. cit.*, p. 75) a proposé une autre explication : « Certains ont évoqué, à propos de ces vers, la sorcière dangereuse, et l'on a même supposé qu'elle ensevelissait les morts. Nous pensons plutôt, pour notre part, à une fureur amoureuse. Dame Douche parle de *maniier* (v. 860) et ce verbe signifie souvent « peloter ». « L'autre nuit » paraît équivoque, du fait de son métier de courtisane; d'ailleurs Dame Douche date exactement ces fameuses nuits, tout comme elle situait la nuit passée avec Rikier (v. 284-285). « Dans son lit » confirme notre hypothèse. » Mais peut-être faut-il voir en ce vers l'écho déformé et affaibli de la croyance populaire aux pieds à rebours qui caractériseraient des génies mauvais, des êtres diaboliques ou des hommes sauvages. Cf. notre note dans l'ouvrage *Sur le Jeu de la Feuillée. Etude complémentaires,* pp. 143-146. C'était aussi un signe de naissance monstrueux.

864. *Metre a point* « arranger », au sens populaire de l'expression.

869. *Agnés vo fille.* Il y a hérédité dans tous les domaines : avarice (215 et 222), puissance et arbitraire politique (798-799), sorcellerie (869).

870. *Chité,* répondant à *Vile* qui ouvre ce passage (846), révèle que la sorcellerie est une pratique générale.

872. On notera la forme de cas sujet féminin singulier du démonstratif *chille.*

874-875. E. Langlois a remarqué (p. 64) que « ce refrain se retrouve dans deux motets (G. Raynaud, *Recueil de motets français,* n°s LXXI et CCXXIV) dont l'un est d'Adam (de Coussemaker, p. 258), et dans le *Tournoi de Chauvenci* (éd. Delmotte, v. 1302) ». On peut prendre ces propos au pied de la lettre et penser qu'avec le départ des fées, c'est la fin de toute beauté. Il convient plutôt, en les rapprochant de la scène qui précède immédiatement, où Maglore et ses compagnes lient partie avec Dame Douche pour l'aider à se venger, d'y déceler une intention de parodie : à l'enchantement et à la beauté succèdent rapidement la sorcellerie et la méchanceté.

Pour la mise en scène, on peut penser que les fées, qui finissent par lier partie avec Dame Douche, se métamorphosent peu à peu : revêtues d'abord de somptueux vêtements (ce sont de *beles dames parees*), elles quittent cette parure, laissant apparaître des habits grossiers, et s'affublent enfin d'horribles masques de sorcières. De là le comique de contraste quand elles chantent *Par chi va la mignotise*. Ce jeu du déshabillement se retrouvera dans le *Jeu du Prince des Sots* de Gringore et dans la *Sottie du Roi des Sots*. Généralement, le déshabillement est une mise en liberté, une renaissance.

876. *Soumeillié* a gardé, tout au long du Moyen Age, le sens de « dormir » qu'il a perdu au XVIIe siècle. On notera, d'une part, l'importance de ce motif (avec le personnage de R. Sommeillon), d'autre part, le fait que le moine s'endort à deux reprises (cf. v. 962), et l'auteur le souligne par des formules parallèles (876, 967). Voir notre étude sur *Le Rire dans le Jeu de la Feuillée* dans *Sur le Jeu de la Feuillée (Etudes complémentaires)*, Paris, SEDES, 1977, pp. 44-45.

883. *Rehaignet* « reste » remisé dans un placard. O. Gsell propose de traduire par « petit casse-croûte ». Mot du Nord-Est selon Gossen.

884. *Qu'il nous donra* pour *qu'il le nous donra*.

888-900. Ici encore image continuée avec *s'embat* (888), *se combat* (889) et *pourprise* (900), se rapportant à l'attaque, au combat et à l'occupation totale.

890-892. La succession des noms propres est significative. Tout d'abord, elle établit une équivalence entre Hane et Veelet (le petit veau, le sot), ce qui se comprend puisque c'est Hane qui a suggéré de faire le *vieel* (376). Ensuite, elle assimile à des veaux, autrement dit à des sots, Adam en tant qu'il est le fils de maître Henri, Richesse Aurri et Guillot. Enfin, elle rapproche, dans cette compaignie *faitiche ou nus ne se combat*, Richesse Aurri et Guillot qui ne vont pas tarder à se disputer (919-920).

893. *Par le saint Dieu*, exclamation fréquente dans *le Jeu de Robin et Marion* (116, 584, 595, 716), sour la forme *par le sain Dieu*.

895. *Crespet* « Crêpe, beignet ». Ce mot, selon Gossen, *art. cité*, p. 190, appartient à l'aire picarde et normande.

898. A rapprocher du *Jeu de saint Nicolas*, 716 : *S'arés de no commenchement*, où le tour signifie : « vous aurez de notre première tournée, de ce que nous avons commencé à boire ». Ce rapprochement est-il intentionnel ? Adam veut-il mettre sur le même plan les trois larrons de J. Bodel et les acteurs de la *Feuillée*, le moine et Hane ? Cf. notre étude *Du Jeu de saint Nicolas au Jeu de la Feuillée* dans *Sur le Jeu de la Feuillée*.

901. *Li tavle est ja mise,* soulignant que la même table sert au festin des fées et aux beuveries de la taverne, met le point final à la féerie en l'assimilant à la vie arrageoise.

905. Thème de l'aubergiste trompeur, accueillant d'abord, très dur ensuite. Voir le *Jeu de saint Nicolas, Courtois d'Arras,* le début du *Prêtre teint* de Gautier le Leu, *les Trois Aveugles de Compiègne.*

906. E. Langlois a mis un point d'interrogation à la fin du vers.

908. *Gille* et *guile* « ruse » sont très souvent liés à la rime. Ainsi dans le *Roman de Renart,* VI, 983-984 : *...Qu'il veigne aprendre a cortoier / Sanz achaison querre ne guile, / Que, par la foi que doi seint Gile...*

910. Voir A. Henry (éd. du *Jeu de saint Nicolas,* p. 233), à propos du vers 844 : *Jes fis taillier par eskievins,* « Je les *(les dés)* ai fait tailler sous le contrôle des échevins (en payant, en même temps, la taxe afférente) ». O. Gsell a signalé la rime équivoque *eschievins / est che vins.*

912. A éclairer par la *Bible Guiot : ... Qui me donroit vin de covent / N'en seroie je jamais yvre / (Por ce que li vins est moillez)...*

914. Le vin d'Auxerre était très renommé, les vins de Bourgogne supportaient le vieillissement. Voir, sur ce point, la note très riche d'A. Henry, à propos du v. 253 de son éd. du *Jeu de saint Nicolas,* à quoi on peut ajouter ces deux références, l'une tirée de *Beuve de Hantone,* t. I, p. 136, v. 4492 : *D'Auchoire vint li vins novelement,* l'autre de Ph. de Beaumanoir, *Jehan et Blonde,* 4601-4604 : *Robins ne fu lens ne escars / Ains fist venir poissons et cars / Et vins d'Auchoirre et d'Orlenois / Qui sont bon a boire en tous mois. Aucheurre, Auchoire* sont des formes picardes pour le francien *Auçuerre.* Voir Marcel Lachiver, *Vins, vignes et vignerons,* Paris, Fayard, 1988.

Auen, oan (hoc anno), « cette année ». Ce vers comporte en fait un double sens destiné à montrer la ruse de l'aubergiste, car on peut comprendre « Cette année, il n'est pas venu d'Auxerre » ou « Ce n'est pas cette année qu'il est venu d'Auxerre ».

915-918. Riquier, mis en évidence aux vers 902-903, organise la scène de taverne comme il a organisé la féerie ; d'autre part, il place les gens comme la fée Morgue plaçait les fées. Liens supplémentaires entre les deux scènes et assimilation des deux mondes l'un à l'autre.

917. *Rebas,* « rebord » de la fenêtre (Langlois) ou de la scène (J. Frappier-A.-M. Gossart).

919. *C'est voirs.* Sans doute y a-t-il un jeu de mots en écho avec *voirre* du vers 915.

921. *Che ne fustes vous point.* Forme primitive où *ce* était attribut et *vous* sujet. On avait alors : *ce sui je, ce es tu, ce est il, ce somes nos, ce estes vos, ce sont il.* Dans un second temps, sous l'effet d'une tendance de plus en plus forte à la séquence progressive, le pronom personnel a été senti comme attribut, et il s'est constitué, d'abord à

la seconde personne, un groupe indissociable *c'est* qui s'est étendu à la première personne (XIIIe s.), aux quatrième et cinquième personnes (XIVe s.), tandis que la forme du cas sujet, portant l'accent de groupe, laissait la place à la forme du cas régime tonique : *c'est moi, c'est toi, c'est lui, c'est nous, c'est vous*. A la sixième personne, la langue a maintenu longtemps *ce sont eux* qui survit dans le parler surveillé (voir l'art. de L. Foulet dans *Romania,* 1920).

923. *Me sires,* sans doute ironique ici. Cf. L. Foulet, *Sire, messire,* dans *Romania,* t. 71, 1950, pp. 210-221.

925-926. Pourquoi le patron se met-il en colère? Parce que Guillot, qui pose toujours les vrais problèmes et les questions délicates qu'il convient d'éluder entre gens *d'une compaignie* (947), met ouvertement en doute l'efficacité des reliques et ébranle l'une des croyances fondamentales de la société arrageoise.

928-934. A noter qu'Hane, après avoir beaucoup parlé au début de la scène (du vers 877 au vers 906), ne répond rien, bien que Guillot l'interpelle par deux fois. Il est réduit au silence, à l'inexistence. Il reprend ensuite la parole pour se moquer d'Adam (949-952); mais quelle valeur accorder alors à ses propos? Enfin, Adam braille avec lui à la demande de l'aubergiste (1020) : qu'est devenu le poète, suivant son père à la taverne et associé à Hane ?

930. *Repus,* part. pas. du v. *repondre* « cacher ». *Mue* « cachette », « garde-manger ».

931. Rappel de la scène de taverne du *Jeu de saint Nicolas,* 252-253 : *Chi a caut pain et caus herens / Et vin d'Aucheure a plain tonnel. Herenc* appartient à l'aire picarde et normande (Gossen, p. 190).

935. *Poe,* mot argotique ou populaire, emprunt au vocabulaire de l'animalité. Sur ce mot, voir A. Ziwès, *Le Jargon de Maître François Villon,* Paris, Waltz-Puget, 1960, pp. 237-238, qui cite en particulier *la Vie de saint Cristofle : Hé gueux, advance moy la poue*.

942. *Paressiaue* vient de *paressever*. Tobler et Lommatzsch rapportent, par acquit de conscience, la traduction de Langlois (« épuise complètement, boive tout »), mais préfèrent : « avant que l'on y mette de l'eau ». Nous sommes de cet avis, tout en précisant le sens : « avant qu'on ne le passe complètement par l'eau »; on l'a déjà échaudé pour enlever le goût de *rebouture*. Cf. *Jeu de saint Nicolas,* v. 1029, *Et vin qui n'est mie boutés,* et la note d'A. Henry sur le vin *poussé* ou *bouté,* que R. Engel définit ainsi dans le *Vade-mecum de l'œnologue,* Paris, 1959, p. 119 : « Se dit d'un vin qui subit une fermentation bactérienne génératrice de gaz carbonique. Dans les fûts hermétiquement fermés, ce gaz fait pression et « pousse » le vin qui suinte par les joints du tonneau et peut faire bomber les douves des fonds. En général, maladie de la tourne ou fermentation malolactique ». Pour traiter le vin *bouté,* on le traitait à l'eau chaude, à quoi on pouvait ajouter du froment, du blanc d'œuf et du sel. Cf. *Tractatus de modo praeparandi et condiendi omnia cibaria,* et *Viandier* de Taillevent; voir la thèse de G. Paoli, *La Taverne au Moyen Age,*

t. III, pp. 563-564. Du même, on retiendra les remarques très fines (*op. cit.*, p. 619-620) : « Adam de la Halle, dans la perspective du monde à l'envers, et avec une virtuosité savante, unit l'argument goliardique de Cana à la tradition patristique du tavernier fraudeur. N'œuvre-t-il pas à l'envers du Christ, l'hôte du *Jeu de la Feuillée*, qui, à force de mouiller son vin en l'échaudant, tend à le changer en eau ? Et son hareng qui, à l'inverse des deux poissons de l'Ecriture (Jean 6, 9-11) échappe à la multiplication et se perpétue, unique, sans rassasier la multitude, ne participe-t-il pas à la falsification d'un autre miracle ? »

942-944. Guillot formule — de manière elliptique par rapport au *Jeu de saint Nicolas* de Jean Bodel — trois critiques à l'égard du vin de l'aubergiste : il est piqué (944), traité (943), allongé d'eau (942).

944. *Set. Savoir,* avec un nom de chose comme sujet, est relevé dans le complément de Godefroy, s.v., avec le sens de « avoir goût de » (X, 635c).

948-949. Sur la rime *fai je/sage,* voir Ch. Th. Gossen, *Petite Grammaire de l'ancien picard,* § 7 et c.r. de Cl. Régnier, dans *Romance Philology,* t. 14, 1960, p. 260.

949. *Faire le sage* a été bien étudié par V. Väänänen, *Faire le malin et tours congénères. Etude sémantique et syntactique,* dans *Revue de Linguistique romane,* t. 31, 1967, pp. 341-364 (repris dans *Recherches et récréations latino-romanes,* Naples, 1981, pp. 219-248). Aperçu sémantique : 1/ Interpréter le rôle de (au théâtre); de là, faire le poète ; 2/ Se faire passer pour, imiter au physique et au moral : faire le mort, le pauvre... (contrefaire le mort, jouer l'étonné) ; 3/ a. s'attribuer l'état, la qualité, les fonctions de ; b. faire une besogne, exercer un métier : faire le domestique ; c. se donner l'air de (avec affectation) : faire le beau, le bonhomme, la dégoûtée... faire l'écolier, jouer l'homme d'importance ; d. agir à la manière de, surtout dans la langue familière, en parlant d'actions et d'attitudes réprouvables : faire l'enfant, le fanfaron, le faraud ; e. locutions figurées appartenant principalement au langage populaire ou technique : faire le diable, faire le bon apôtre, jouer la fille de l'air.

Ce tour constitué avant 1200 appartient « aux procédés brachylogiques et imagés qui sont le propre du langage populaire et familier. Il y a là *persona pro re*. La place d'une action, d'un comportement est prise par le personnage représentant l'idée de cette action, de ce comportement » (p. 363).

955. Nous comprenons : « Tu ne veux pas de mal ».

963 et 967. On remarquera l'euphémisme par lequel le moine s'efforce d'annuler son sommeil.

970. Cf. *Jeu de saint Nicolas*, 756 : *Et nous finerons bien chaiens.*

972. *Saus, sous.* Le sou valait douze deniers ou vingt-quatre mailles. C'est la somme que Cliquet emprunte pour jouer dans *le Jeu de saint Nicolas.*

976. *Ronquiét,* du v. *ronquier,* « ronfler », « dormir profondément ».

978. *L'Enganerie* était un quartier ou une rue d'Arras, comme on peut le penser en s'appuyant sur le *Nécrologe* qui mentionne un *Petis de l'Enganerie.* Un « Jehan de l'Anghanerie », bourgeois d'Arras, est mentionné dans un acte de 1364. Mais n'était-ce pas surtout le pays des filous ? *Engan* signifiait « tromperie » (*Jeu de saint Nicolas,* 161, 1458).

979. *Et,* « et d'autre part », « et de plus ». Voir L. Foulet, *Petite Syntaxe de l'ancien français,* p. 287, et G. Antoine, *La Coordination en français,* 2 vol., Paris, d'Artrey, 1958.

983-984. On peut ponctuer de deux manières différentes : ou mettre un point d'exclamation à la fin de 983 et un point d'interrogation à la fin de 984 ; ou mettre une virgule à la fin de 983 et un point d'exclamation à la fin de 984.

986. *Cunkie,* conchier. A l'origine, « souiller », « salir » : ainsi encore dans Rabelais (II, 6) : « Le pauvre Lymosin conchiait toutes ses chausses qui estoient faictes à queheue de merluz » ; ensuite, « déshonorer », « duper », « se moquer de ». Le mot est fréquemment employé dans le *Roman de Renart.*

988. Voir *Robin et Marion,* v. 478, et notre étude *Du Jeu de Robin et Marion au Jeu de la Feuillée,* dans *Sur le Jeu de la Feuillée (études complémentaires).*

990. *Li hordussens* est la graphie du manuscrit ; voir vers 782.

994. Scène fréquente où le buveur doit laisser en gage une partie de ses vêtements. Ainsi, dans le *Jeu de saint Nicolas,* v. 666 : *G'i ai,* dit Cliquet, *ja descarquiet me ware,* « Je me suis déjà défait de mes nippes » (trad. d'A. Henry), et dans *Courtois d'Arras* (v. 377).
Plaisanterie de clerc, *l'écorce* correspondant à la lettre du texte ou à l'extérieur, *le cors* au sens profond ou à l'intérieur. J. Bodel, au v. 1509 du *Jeu de saint Nicolas,* a déjà recouru à cette opposition : converti malgré lui, l'émir d'Outre l'Arbre sec s'écrie : *De moi n'arés vous fors l'escorche.*

995. A rapprocher de *Robin et Marion,* 352 : *Dont me ferés vous forche ?*

998. Le manuscrit porte la forme *darraine,* à laquelle il faut substituer *daerraine* ou *dearraine* pour avoir un vers correct. Sur toutes ces formes, consulter P. Fouché, *Phonétique historique du français,* t. III, *passim.*

1004. *Tout paraletique,* « tous paralytiques » ou « complètement paralytiques ».

1007. *Caiés,* 5ᵉ pers. du prés. de l'ind. du v. *cheoir.* Cf. P. Fouché, *Le Verbe français,* p. 159.

1008. *Le* représente soit la *fisique* (1005) soit le sens (1007) du médecin.

1011. Plutôt qu'un jeu de mots sur *poire* (1. poire, 2. péter), ce vers rappelle le proverbe inversé : *Après la poire le vin* (J. Morawski, *Proverbes français*, n° 115).

1018 sqq. L'emploi de *preeschier* et de *recaner* (« braire » comme un âne) évoque une parodie du jeu liturgique, du sermon, des fêtes et des chants d'Eglise, et rappelle les fêtes des Fous, ou de l'Ane, ou des Innocents, parodie légère, mais certaine, où la taverne fait fonction d'église, l'aubergiste de prêtre, au demeurant peu respectueux des reliques, le vin d'eau bénite, où une chanson courtoise, braillée à pleine gorge, remplace cantiques et psaumes... Voir, sur ce point, notre étude sur *Le Rire dans le Jeu de la Feuillée* (*Sur le Jeu de la Feuillée, études complémentaires*).

1021-1025. On discerne des analogies avec la fête de l'âne : on brayait (*recane*), on buvait sur l'autel (*abevré*), on chantait des airs et refrains profanes (1025).

1025. *Aye d'Avignon,* refrain d'une chanson de toile inspirée sans doute par la chanson de geste *Aye d'Avignon,* dont on peut lire un résumé dans notre *Adam de la Halle...*, pp. 332-334, et dans l'éd. de *Gui de Nanteuil,* de J. R. Mc Cormack, Genève, Droz, pp. 13-14. L'auteur critique aussi sans doute l'habitude d'entrelacer des refrains dans une œuvre.

1027. *Vous,* ici, ne peut être que complément et non sujet, à cause de la présence de *bien* en tête de phrase. Aussi ne peut-on accepter les traductions de Fr. Michel (« L'on peut bien vous vanter ») ou de J. Frappier et A.-M. Gossart (« On peut vous faire ce compliment »)...

1028. Sur la réduction de *feu* en *fu* en picard, voir Gossen, § 25.

1031. Exaspéré, le moine n'emploie plus de périphrase pour désigner le diable mais par deux fois utilise le mot tabou (cf. aussi 1068).

1032. Pourquoi le moine se plaint-il du dervé ? Parce que ses manifestations de violence et de folie attestent l'inefficacité, voire la fausseté de ses reliques, que, d'autre part, il n'a plus, puisqu'elles sont entre les mains de l'aubergiste. Sur le moine, voir notre livre cité, pp. 319-329.

1042. Selon Cl. Régnier, *art. cit.*, p. 263, « Les rimes *pume : plume* sont donc en ū ou ō : utilisation accidentelle d'une prononciation régionale (cf. Fouché, p. 363, R. 1) ».

1044. *Paris :* rappel du rêve et du projet d'Adam.

1052. *Keute :* tapis, couverture, ici édredon.

1053. Le ms. porte *qui la se keute,* « qui pousse du coude ». La correction d'E. Langlois *qui la s'akeute* est inutile.

1057. Ce vers manque dans le manuscrit.

1060. E. Langlois a mis une virgule après *je le lo bien* et un point après *meskieche.*

1072. Cf. *Courtois d'Arras,* 375 : *Car n'ai pas apris tel afaire.*

1078. La *fiertre* était la châsse de Notre-Dame qui, selon A. Guesnon, était exposée « sous un dôme de verdure qu'on appelait *la Feuillée... La Feuillée* était donc à Arras une sorte de nom propre, spécialement attribué par l'usage à l'exposition de la fiertre ».

1080. Voir *Jeu de saint Nicolas,* v. 990, *Que no cose anuit bien nous viegne,* et *Courtois d'Arras,* 484 : *Me cose me vient a souait.*

1082. Cl. Mauron remarque : « Comment expliquer... ce « il me reste encore mon blé à vendre » ? Certains y ont vu une contradiction avec le « je dois mendier mon pain » du vers 1040. En fait, ce blé devait être peu de chose. [...] Il est même très probable que l'expression *vendre son blé* était proverbiale pour indiquer une ruine totale » (*op. cit.,* p. 71, n. 18). Mais ne peut-on penser qu'il s'agit surtout de signaler l'hypocrisie du père du dervé, comme a été signalée celle de Maître Henri ?

1087. *On me compisse :* n'est-ce pas un rappel de la projection d'excréments qui joue un grand rôle dans la fête des sots et des charivaris ? Cf. M. Bakhtine, *L'Œuvre de Fr. Rabelais et la culture populaire au Moyen Age et sous la Renaissance,* Paris, 1970, pp. 150, 178 et 230, et notre étude sur *Le Rire dans le Jeu de la Feuillée.* Ce motif du buveur qui urine se trouve déjà dans *Courtois d'Arras* (vers 245) et dans un détail de *l'Enfant prodigue* de Jérôme Bosch. Voir la thèse de Guy Paoli, pp. 401-402. La situation est inversée : le buveur qui urine se trouve au premier, et le consommateur en bas. C'est pour G. Paoli (p. 403) une « parodie du culte où dominent les rites d'eau : le baptême, nouvelle naissance de l'esprit, ou les Rogations, par leur appel à la pluie bénéfique, comme pour arroser la stérilité mentale du fou et faire lever son entendement. Urine vive, urine active, en opposition aux eaux troubles, aux dépôts viciés, de *l'orinal du fisicien* ».

1090. *Croquepois.* C'est le coup (le verbe *croquer* a le sens de « porter un coup ») qui met en fuite ou fait taire les fous, dont les pois étaient un symbole. Cf. notre *Adam de la Halle,* pp. 146-147.

1091. *Prois,* mot d'argot signifiant « anus, derrière », attesté à la fin du Moyen Age et au XVIe siècle. Cf. A. Ziwès, *op. cit.,* pp. 183-185.

1097. *Garchonnaille :* « valetaille ».

1098-99. On peut ponctuer différemment : *S'en irons : a Saint Nicolai, / Commenche a sonner des cloquetes,* et comprendre : « *Partons : à Saint-Nicolas, / On commence à sonner les cloches* ».

Deux églises portaient le nom de saint Nicolas : la petite église de Saint-Nicolas-en-l'Atre dans la Cité, Saint-Nicolas-sur-les-Fossés, dans la Ville, où les clercs célébraient peut-être déjà leur fête de Saint-Nicolas en mai. C'est de celle-ci qu'il est question dans le *Jeu,* sans compter que c'est (peut-être) une allusion au *Jeu de saint Nicolas.* Voir notre étude citée.

INDEX DES NOMS PROPRES[1]

1. R signifie *rubrique*.

ACAIRE, 350, 359, 382, 880, 1019, 1037 ; Acaires 5, 322, 342, 923, saint Acaire, dont les reliques passaient pour guérir de la folie, et dont le monastère se trouvait à Haspres. Voir note au vers 322.

ADAN, Titre 321, 428, 584R, 654, 890, 1020 ; Adans 16R, 24R, 36R, 42R, 51R, 79R, 81R, 177R, 312R, 320R, 430R, 586R, 589R, 949, 953R, 975R, plusieurs fois appelé Maître Adam, Adam le Bossu, Adam de la Halle, Adam d'Arras, personnage et auteur de la pièce, bien que certains lui contestent la paternité du *Jeu de la Feuillée*. Voir notre introduction et notre *Adam de la Halle*..., chap. 3.

ADANS LI ANSTIERS, 242, goinfre. Appartient à une famille qui apparaît dans l'échevinage dès 1111 et y demeure jusqu'au XVe siècle, et qui disposait d'une fortune importante en terres et en maisons dont l'origine est inconnue. Le nom de *Hanstarius* « qui porte la lance » et les armoiries aux trois heaumes évoquent plutôt des préoccupations militaires. Au XIIIe siècle, ils sont prêteurs d'argent. Selon R. Berger, *Littérature et société arrageoises au XIIIe siècle*..., p. 300 : « Salué par Fastoul (*Congés*, 505-507) avec Jean Joie ; rangé par Adam de la Halle (*Feuillée*, 242) au nombre des amateurs de bonne chère atteints du « mal saint Lienart ». Pour des biens sis à Hendecourt-lès-Cagnicourt il est homme de Saint-Vaast à 7 s. 1/2 de relief (Arras, ms. 316 ; f° 137 r°). Le *Nécrologe* inscrit son décès entre le 1er octobre 1287 et le 2 février 1288 (Adans li Anstiers 1287 2[9]) ».

AÉLIS AU DRAGON, 305, jeune femme d'Arras. Les deux maisons des *Pumetes* et du Dragon étaient voisines sur la place du Petit Marché qui jouait un rôle important dans la vie arrageoise (cf. notre *Adam de la Halle...*, p. 218). Mais le *dragon* évoquait aussi le diable. Sur Aélis, voir notre note au vers 305.

AGNÈS, 869, fille de Dame Douce. Cf. notre note au vers 869.

AIA, 1025, Aye d'Avignon. Voir note au vers 1025.

ANSÉIS, 536, *Anséis de Carthage*. Voir note au vers 536.

ARRAS, 13, 29, 687, chef-lieu de l'Artois. Voir notre note au vers 239 et les ouvrages cités de Roger Berger.

ARSILE, 625, 631R, 640R, 644R, 656R, 667R, 692R, 748R, 754R, 760R, 814R, 824R, personnage du *Jeu*, fée qui accompagne Morgue, inconnue des autres textes littéraires. Ce prénom se lit dans le *Nécrologe*.

AUCHEURE, 914, Auxerre, ville de Bourgogne réputée au Moyen Age pour ses vins. Voir note au vers 914.

CHITÉ, 483, 870, partie d'Arras soumise à la juridiction de l'évêque. Voir R. Berger, *op. cit.*, pp. 25-32, et notre *Adam de la Halle...*, pp. 213-215.

COLARS DE BAILLOEL, 366, sot ou original, bourgeois d'Arras qui n'était pas forcément noble, car Bailleul était un nom de lieu — Bailleul-sire-Bertault, dans les faubourgs d'Arras — mais qui appartenait au patriciat. Voir note au vers 366.

COLARS FOUSEDAME, 488, clerc bigame, notaire, qui habitait la Cité et appartenait à une famille arrageoise dont un membre est mentionné au *Nécrologe* en 1290. Voir note au vers 488.

CRESPIN, 219. Famille fabuleusement riche, la plus fortunée et la plus puissante d'Arras au XIIIe siècle, prêtant aux princes, aux établissements religieux, aux villes... Leur fortune venait sans doute des biens fonciers qu'ils continueront à augmenter, du commerce, mais surtout des prêts. Cette famille avait des ramifications partout : on en découvre dans la banque, le négoce, les armes, le clergé. Elle était liée aux plus grandes familles d'Arras, aux Louchard, aux Faverel. Voir R. Berger, *op. cit.*, pp. 332-343, et notre *Adam de la Halle...*, pp. 254-259 (références bibliographiques).

CROIS OU PRÉ, 854, lieu où Dame Douce attend les fées, place située au nord de la ville, entre les quartiers du Pré (843) et du Jardin, « habité de tout temps par la colonie industrielle » (A. Guesnon). Voir note au vers 854.

CROQUESOT, 614, 622, 704, 762, 786, 828, Croquesos, 590R, Crokesos, 600R, 604R, 611R, 616R, 648R, 704R, 706R, 712R, 716R, 720R, 730R, 732R, 762R, 764R, 773R, 782R, 794R, 796R, 800R, 804R, 820R, 826R, 832R, 836R, personnage du *Jeu*, messager du roi Hellequin. Lutin qui accompagnait le roi des nains. Son nom est composé, selon A. Adler, de *croque* « frappe » et *sots*. Voir notre *Adam de la Halle...*, pp. 140-147, et *le Rire dans le Jeu de la Feuillée* dans notre *Sur le Jeu de la Feuillée*. Ce nom figure dans le *Nécrologe* en 1231 et 1241.

DAME DOUCE, 364R, 598R, 849R, 858R, 864R, 872R, Dame douche 848, La douce 858, Douce dame 246R, 254R, 265R, 271R, 276R, 282R, 284R, personnage du *Jeu*, femme d'Arras, inscrite au *Nécrologe* en 1279. Elle possédait, selon A. Guesnon, des terres et peut-être un fief à Wancourt. Elle appartenait à une famille connue dont un membre, Andrieu Douche, était poète ; cf. R. Berger, *op. cit.*, p. 437.

DUISANS, 530, pays du *dervé*, village à 6 km à l'ouest d'Arras. Le nom comporte sans doute des équivoques ; voir note au vers 530.

ENGANERIE, 978, quartier ou rue d'Arras ; voir note au vers 978.

ERMENFROI CRESPIN, 218, 219, 794, 795, avare et puissant. Cf. R. Berger, *op. cit.*, p. 334. On le surnomme parfois Frekin : Baude Fastoul (*Congés*, 316-318) salue « Jakemon le maisné fil segneur Frekin », c'est-à-dire Jacques qui est... fils de notre Ermenfroi. C'est un personnage. Vers 1260 le nom — plaisant — de Frekinois, mis sur le même plan que celui de Cosset et de Pouchin, paraît bien désigner l'ensemble des Crespin (*Chansons et dits*, 2, 22-23). *Sire* Ermefroi intervient comme juge de deux jeux-partis (*Jeux-partis*, n°s 78, 134). En 1276, lorsque Adam de la Halle veut citer des Arrageois symbolisant la richesse ou la réussite familiale, le nom d'Ermenfroi Crespin vient deux fois sous sa plume (*Feuillée*, 219-222, 794-801). A cette époque, Ermenfroi dont le décès est proche — le *Nécrologe* l'inscrit entre le 26 mai et le 1er octobre 1277 (li Crespins Ermenfrois 1277 1^{4}) — a derrière lui une longue et brillante carrière de financier,

puisque depuis trente-deux ans, au moins, il fait en grand le commerce de l'argent. Seul ou avec un associé (son propre frère Robert III en 1267, Audefroi Louchart en 1244, 1245 et 1268, le Douaisien Robert d'Estrées en 1267, il prête à maintes reprises des sommes importantes… »

ERMENFROI DE PARIS, 218, avare. D'une famille d'échevins et de banquiers parmi les plus anciennes. « Fils ou petit-fils d'Ermenfroi I ? Il passe pour extrêmement riche aux yeux de ses contemporains. Selon une pièce satirique composée entre 1262 et 1264, même en mentant dans la déclaration de son « vaillant », il aurait avoué un capital de 20 000 marcs d'argent (*Chansons et dits* 24, 111-114). Adam de la Halle (*Feuillée*, 218-222) qui l'accuse d'avarice, le cite en compagnie d'Ermenfroi Crespin, autre symbole de la puissance et de la fortune. A en juger d'après le seul prêt qu'on lui connaisse — 15 000 livres fournies à la ville de Gand par l'intermédiaire de son fils Sauwale (*Comtes Gand*, p. 1051) — ceux de ses enfants et les 2 700 livres de droit d'issue qu'après sa mort ils paieront aux échevins d'Arras… sa réputation est parfaitement justifiée. Présenté comme proche de sa fin par l'auteur du *Jeu de la Feuillée*, il est inscrit au *Nécrologe* quelques mois plus tard, entre le 1er octobre 1276 et le 2 février 1277. (R. Berger, *op. cit.*, p. 397.)

ERNOUL DE LA PORTE, 297, premier mari de la femme de Mahieu Lanstier, bourgeois d'Arras.

EVE, 320, mère d'Hane le Mercier.

LE FAVEREL, 214, avare. Prêteurs et financiers, les Faverel étaient surtout les maires héréditaires d'Arras. Voir R. Berger, *op. cit.*, pp. 353-361, et notre *Adam de la Halle…*, pp. 252-254.

FORTUNE, 773, 792, 808, 818, allégorie. Voir la note au vers 773.

GILLE (saint), 908, ermite d'origine athénienne, installé en Provence au milieu du VIIe siècle, donna son nom à la ville et à la forêt de Saint-Gilles sur les bords du Rhône. C'est surtout l'ermite à la biche ; voir *La Légende dorée* et Guillaume de Berneville, *La Vie de saint Gilles*, poème du XIIe siècle, éd. par G. Paris et A. Bos, Paris, 1881.

GILLES DE BOUVIGNIES, 489, clerc bigame et notaire dans la Cité, mentionné dans trois actes de 1282, 1292 et 1299. Voir notre *Adam de la Halle…*, p. 267.

GILLES DE SAINS, 471, 473, clerc bigame, n'est mentionné que dans un acte de 1275-1276 comme avocat du chapitre d'Arras envoyé vers le chapitre de Cambrai pour établir un concordat relatif à Wauquetin. Le mot de Sains désignait sans doute à l'origine le village d'où sortait la famille de ce clerc, Sains-les-Marquions, à 27 km d'Arras.

GILLON LAVIER, 867, malade. Peut-être faut-il lire LANIER, ce nom figurant plusieurs fois au *Nécrologe* et prêtant à équivoque, l'adjectif *lanier* signifiant « paresseux, timide, couard » ; cf. D. Evans, *Lanier, histoire d'un mot*, Genève, 1967.

GUILLOS LI PETIS, 34R, 186R, 216R, 940 R, 948R, Guillos 37R, 45R, 286R, 292R, 308R, 458R, 488R, 492R, 504R, 510R, 578R, 583R, 919R, 921R, 927R, 933R, 938R, 1007R, 1011R, 1018R, 1055R, 1073R, 1077R, Gillot, 496, 919, 925, 932, 946. Personnage du *Jeu*. Cité avec éloge dans les *Congés* de Baude Fastoul (XLVI), c'est sans doute, comme le pense P. Ruelle, le sergent héréditaire de la rivière de Saint-Vaast qui signe plusieurs actes échelonnés de 1277-1301. C'est peut-être ce Guillot qui est juge dans un jeu-parti entre Jean Bretel et Cuvelier, et qui est mentionné au *Nécrologe* en 1302 (*Parvus Gilles*). Voir R. Berger, *op. cit.*, p. 439. Mais l'auteur joue sans doute sur *guile* « ruse, tromperie », et sur *petit*, qui indique la mesquinerie. Il existe un *Dit de Dame Guile*, B.N.fr. 837, f° 224 v° à 225 v°, facsimilé H. Omont, p. 448. Sur ce personnage dans le *Jeu*, voir notre *Sur le Jeu de la Feuillée*, pp. 121-123.

HALOI, 223, Halois, 212, avare. Haloi est le surnom de Pierre le Waisdier. « C'est, selon toute vraisemblance, l'Aloi, sans autre désignation, que Fastoul (*Congés*, 337-342) salue avec Rasset en 1272... Entre 1282 et 1288 il paie pour une raison inconnue 180 livres aux échevins d'Arras (*Dynasties*, p. 133, n° 13 : « Pieron le Waisier dit Haloi »). Son décès est inscrit au *Nécrologe* soit peu avant le 2 février 1290 (Halois Pieres 1289 2^{17}), soit entre le 12 juin et le 1er octobre 1297 (Petrus Halois 1297 1^{22}) » (R. Berger, *op. cit.*, p. 421).

HANE LI MERCIERS, 18R, 190R, 877R, 949R, 960R, Hane, 296R, 310R, 318R, 321R, 376R, 470R, 881R, 886R, 899R, 905R, 928, 966, 1020, 1073, 1075R, personnage du *Jeu*. Cité parmi les arbalétriers dont Baude Fastoul prend congé. Sans doute Adam joue-t-il sur *Hane/âne* et sur *mercier* « l'homme du négoce ». Sur ce personnage dans le *Jeu*, voir notre *Sur le Jeu de la Feuillée*, pp. 123-124.

HASPRE, 333, Haspres, bourgade de l'arrondissement de Valenciennes, dans le département du Nord.

HELLEKIN, 604, Hielekin, 578, Hellekins, 615, roi infernal, chasseur sauvage. Voir notre note au vers 578 et notre *Adam de la Halle...*, pp. 147-158.

HENRIS DE LA HALE, 308R (Maistre), Henris, 182R, 188R, 190R, 196R, 228R, 231R, 233R, 236R, 240R, 338R, 350R, 386R, 434R, 482R, 488R, 496R, 505R, 955R, 959R, 1001R, 1053R, Henri, 201, 492, 511, 654, 890, personnage de la pièce, père d'Adam, mort vers le milieu de l'année 1290. Voir notre *Adam de la Halle...*, pp. 32-34, et se rappeler avec Edgar Morin, que « tout fils est le père de son père ».

HENRI DES ARGANS, 314, époux d'une femme terrible.

HESSELIN, 537, jongleur, mentionné au *Nécrologe* en 1293 (*Au Jongleur Hesselin*). Voir la note au vers 537.

HEUVINS, 366, sot ou original. Heuvin est tantôt un prénom, tantôt un nom de famille. Aussi peut-on comprendre le vers de la manière qui suit : *Colars et Heuvins de Bailloel*. Dans les *Chansons et dits artésiens* (XVIII, 98-102), Heuvin de la Capele est présenté comme un célibataire endurci ; dans la pièce XXIV, Heuvins li Clos, mort en 1273, a fraudé le fisc. Baude Fastoul (*Congés*, XXIII) salue Baude, le fils du seigneur Heuvin.

IRLANDE, 326. L'île, christianisée de 430 à 461 par saint Patrick, a constitué dès le début du VIe siècle « un foyer de vie catholique rayonnant et original, qui lui valut l'épithète flatteuse d'*Ile des saints* » (Jean Chélini, *Histoire religieuse de l'Occident médiéval*, p. 37), et qui était caractérisé par la prédominance du monachisme, de l'ascétisme et des études.

JAKEMES LOUCHARS, 795, puissant personnage et favori du comte. Il appartenait à une très riche famille qui pourtant n'apparaît dans les actes qu'au milieu du XIIe siècle, mais déjà avec une très honorable situation. Selon Jean Lestocquoy, c'était à l'origine une famille de propriétaires de dîmes et de fiefs, proche de la noblesse, qui se muera en prêteurs d'argent vers le milieu du XIIIe siècle, sans que leurs prêts qui atteindront leur maximum vers 1265-1266 approchent ceux des Crespin. De tout temps, mais surtout au XIVe siècle, ils fourniront des membres à l'Eglise, occuperont des charges municipales, faisant sans cesse partie de l'échevinage.

Quant à Jacques Louchart, fils d'Englebert 2, dit Garet, « le 8 mai 1255, il siège alors à l'échevinage (Nord B 1593, n° 98). En mai 1256, avec sa femme Marguerite qui paraît être le véritable propriétaire, il vend à l'abbaye de Saint-Aubert un manoir sis à Quéant (Nord 36 H 299/4578). A peu près à la même époque on le cite, sous son surnom, dans trois pièces des *Chansons et dits*, soit (I, 32-35) comme participant à une séance du Puy, soit (2, 26-28 ; 24, 189-193) parmi les riches bourgeois plus ou moins mêlés à l'affaire de la taille. En 1272 Fastoul lui réserve une place dans ses *Congés* (157-159) et, en 1276, Adam de la Halle (*Feuillée*, 790-799) le montre, symbole de la puissance et de la réussite sociale, trônant au sommet de la roue de Fortune. Jacques Louchart est déjà un personnage d'importance. Grand manieur d'argent — on pourra bientôt le considérer comme le plus gros financier arrageois de sa génération — il a su s'attirer les bonnes grâces de son seigneur, le comte d'Artois (*id.*, 790)... Il paraît jouir de hautes protections puisque, arrêté et molesté par trois chevaliers, il obtient, à la Pentecôte 1280, leur condamnation en Parlement (*Olim*, t. 2, p. 159-190 = Boutaric, n°s 2287, 2371, 2372). Entre le 14 janvier 1282 et le 1er janvier 1285 il devient sergent du roi de France, titre auquel il ajoute celui de panetier dès octobre 1286... Ainsi promu le nouvel officier croit pouvoir échapper à la taille urbaine, il invoque pour cela ses fonctions au service du souverain ; les échevins d'Arras ne se laissent pas intimider, l'affaire est jugée à Paris et le contribuable récalcitrant débouté en novembre 1287... Comme tant de ses compatriotes Jacques a prêté aux grandes cités flamandes. Ses relations sont particulièrement étroites avec Bruges dont il est l'un des plus gros créanciers et qu'il ne semble pas accabler sous les demandes de remboursement. Depuis 1288 la ville lui fait de nombreux cadeaux... Ces présents ne sont pas seulement destinés à faire patienter un banquier accommodant — d'autres Arrageois en auraient mérité autant — ils s'adressent, me semble-t-il, à un homme que l'on considère à la fois comme un haut personnage et comme un bienfaiteur : n'a-t-il pas montré sa munificence en attribuant aux orphelins brugeois un capital de 1 200 livres ?... Membre de la confrérie des jongleurs et bourgeois il est inscrit au *Nécrologe* entre le 1er juin et le 1er octobre 1295, dans une position qui correspond au déclin de l'été (Garés Jakemes 1295 I^14^). Sa mort est, en tout cas, antérieure au 20 septembre puisqu'à cette date Philippe le Bel ordonne de saisir les biens *Jacobi Garet seu Louchard, panetarii nostri quondam* » (R. Berger, *op. cit.*, pp. 378-379).

JAKEMON PILEPOIS, 866, malade. Appartenait à une famille d'Arras dont l'un des membres figure au *Nécrologe* en 1299. Nom expressif, qui rappelle les *pois pilés*, symbole de la folie.

JEHANS D'AUTEVILLE, 240, goinfre. Inscrit au *Nécrologe* en 1281.

JEHANS CRESPINS, 477, Jehans, 478, clerc bigame riche, peut-être frère de Robert II et d'Ermenfroi, époux d'Oede Faverel, décédé entre le 1er novembre 1292 et le 31 mars 1294. Voir Crespin, et le livre de R. Berger, pp. 387-388.

JEHANS LE KEU, 381, sergent, soit sergent de l'échevinage, soit sergent héréditaire de l'abbaye de Saint-Vaast, relevant de saint Acaire. Un Le Keus Jehan est inscrit au *Nécrologe* en 1294.

LIENART (saint), 234, saint Léonard, patron des prisonniers et des femmes en couches. Voir note au vers 234 et notre *Adam de la Halle...*, pp. 112-115.

LIS, 750. Lys, rivière du nord de la France, affluent de l'Escaut. Peut-être y a-t-il une équivoque avec *lits*.

LEURINS LI CAUELAUS, 822, abattu par Fortune. Quasi inconnu. Il mourut en 1280 : dans le *Nécrologe*, nous lisons la mention : *Pro Cauwelau Leurin*. Selon A. Guesnon, « de même que *Perrin, Hanin, Colin*, etc., le prénom *Leurin* et non *Levrin* est une forme familière de *Leurent*, graphie phonétique artésienne de *Laurent*, qu'on rencontre partout. *Li Caulaus, Cauvelaus, Cauwalaus*, avec ou sans l'article, se lit une douzaine de fois tant aux cartulaires de Saint-Vaast (1170-1223) qu'au *Nécrologe* de la Confrérie et le plus souvent sous cette dernière forme *Cauwelaus* ». Voir note au vers 822.

MADOS, 471, clerc bigame. C'est peut-être le beau-frère d'Adam de la Halle, qui figure au *Nécrologe* en 1287 et dont le fils recopia un manuscrit du *Roman de Troie* (B.N., fr.375), nous apportant sur son oncle de précieux renseignements.

MAGLORE, 624, 628R, 631R, 636, 638R, 672R, 678R, 682R, 694R, 702R, 786R, 794R, 800R, 806R, 845R, 848R, 868R, personnage du *Jeu*, une des fées. Création d'Adam, avec peut-être une équivoque sur le nom *(ma gloire)*. Voir note au vers 624.

MAHIEU L'ANSTIER, 296-297, a épousé la terrible veuve d'Ernoul de la Porte. Selon R. Berger, *op. cit.*, p. 302, « L'un de ces Mahieu remplit les fonctions d'*échevin* en janvier 1275 (*Arch. hosp.*, 228a) ; un autre ou le même épouse, avant 1276, la veuve d'Ernoul de la Porte (*Feuillée*, 296-297). C'est peut-être Mahieu 7 qui, entre l'Ascension et la Toussaint 1285, reçoit du bailli d'Artois 125 livres au nom des héritiers de Catherine (A 815^{1}) », et qui est surnommé Maiekin, prévaricateur et puissant personnage, inscrit au *Nécrologe* entre le 2 février et le 24 mai 1307.

MARGOS AS PUMETES, 304, jeune Arrageoise, voisine d'Aélis Au Dragon (voir ce nom). Le mot *pumetes* désignait les seins dans nombre d'expressions imagées.

MARIEN LE JAIE, 502, habile procédurière. Femme d'Henri de la Halle ? Plutôt femme d'Adam de la Halle. Voir notre *Adam de la Halle...*, p. 41.

MAROIE, 35, femme d'Adam de la Halle.

MARSILE, 536, roi sarrasin. Voir note au vers 536.

MONDIDIER, 726, Montdidier, ville du département de la Somme.

MORGUE, 564R, 596, 606, 614R, 618R, 622R, 630R, 636R, 642R, 646R, 659R, 666R, 670R, 676R, 680R, 696R, 704R, 708R, 716R, 717R, 720R, 732R, 742R, 754R, 763R, 768R, 773R, 784R, 818R, 822R, 828R, 833R, 847R, 858R, 872R, personnage du *Jeu*, fée, sur laquelle il existe en gros une double tradition : si la fée du XIIe siècle est bienveillante, celle du XIIIe siècle est nuisible, déloyale, trompeuse, luxurieuse. A notre avis, Adam a présenté une synthèse habile de ces deux courants : bonne en apparence, voire en intention, Morgue fait des dons qui se révèlent vite désastreux pour le héros de la pièce. Voir notre *Adam de la Halle...*, pp. 158-162, Laurence Harf-Lancner, *Les Fées au Moyen Age. Morgue et Mélusine*, Paris, Champion, 1984. Se rappeler l'évolution et le rôle de Morgue dans le *Merlin-Huth*, t. I, p. 166 : « Et sans faille ele fu bele damoisele jusqes a celui terme que elle commancha aprendre des enchantements et charroies (*charmes*) ; mais puis que li anemis (*diable*) fu dedans li mis, et ele fu aspree et de luxure et de dyable, elle pierdi si otreement sa biauté que trop devint laide, ne puis ne fu nus qui a bele la tenist, s'il ne fut enchantés ». Dans ce roman, Morgue exerce son action malfaisante en deux circonstances : indirectement, dans l'aventure de Balaain et Balaan, suite de meurtres, de suicides, de catastrophes qui se terminent par le duel et la mort des deux frères ; directement, quand elle s'acharne à perdre le roi Arthur, son frère, pour favoriser son amant Ascalon ; mais la bienveillante Nivienne s'y oppose.

NICOLAÏ (saint), 1098, église de Saint-Nicolas-sur-les-Fossés, à peu près où est bâtie maintenant l'église Saint-Jean-Baptiste. Voir note du vers 1098.

PARIS, 6, 12, 181, 187, 219, 685, 962, 1044, Paris. Voir note du vers 6 et notre *Adam de la Halle...*, pp. 30-31.

PLUMUS, 458, clerc bigame, dont la femme est inscrite au *Nécrologe* en 1288. Voir note du vers 458.

PRÉ, 843, quartier d'Arras. Voir CROIS ou PRÉ.

RAINELET, 260, 273, Rainnelés, 266R, 272R, 584R, 588R, personnage de la pièce.

RAOUL LE WAIDIER, 882, Rauelet, 904, 928, personnage du *Jeu*, aubergiste. « Agé de 60 ans vers 1310 (A 937[3]) — et donc né vers 1250 — il en a environ 26 lorsqu'il figure l'hôte du *Jeu de la Feuillée* (vers 882-1099). Rien d'étonnant à ce qu'on l'appelle alors par la forme diminutive de son prénom *Rauelet* (*id.*, 904, 928). Raoul vend ou prête à Marie Bodart en octobre 1299 (Guesnon, Prévôté des eaux). Son décès est inscrit au *Nécrologe* entre le 9 juin et le 1er octobre 1311 (Le Waidier Raoul 1311 1[7]) » (R. Berger, *op. cit.*, p. 421). C'est le nom du jeune crieur de vins dans le *Jeu de saint Nicolas* de Bodel.

RIQUIER, 81, Rikier, 287, 921, Riquiers, 175R, 682, Rikiers, 22R, 74R, 79R, 280R, 340R, 428R, 612R, 904R, 915R, 919R, Riquece Aurri, 653, Riquece Aurris, 557R, Rikece Auris, 12R, Riqueche Aurri, 891, personnage du *Jeu*. Clerc, marié, peut-être marchand. « Guesnon (*Nouvelles Recherches*, p. 27, n. 2) a cru pouvoir l'identifier avec un *Riccerus Aurifaber* qu'une bulle pontificale du 11 mars 1254 cite parmi un groupe de clercs mariés habitant Arras (*Chartes*, p. 31). Cette identification, qui oblige à supposer une faute de copie, a été généralement acceptée. Elle est arbitraire car le nom d'*Aurifaber* est bien attesté à Arras au XIIIe siècle. Riquier Aurri figure le 19 novembre 1277 parmi les témoins d'une restitution de chartes à l'abbaye de Saint-Vaast (Arras, ms.316, f° 128 v°). En 1299 et 1300 il fournit la cour d'Artois de cire, de « limegnon » et de fruiterie... Sa femme est inscrite au *Nécrologe* entre le 1er octobre 1300 et le 2 février 1301 (Aurie feme Rikier 1300 2[7]) et lui entre le 1er octobre 1302 et le 2 février 1303 (Aurris Rikiers 1302 2[3]) » (R. Berger, *op. cit.*, p. 304). Des membres de cette famille figurent dans les *Chansons et Dits artésiens :* Jean qui se donne pour l'auteur de la pièce V consacrée à saint Tortuel, le patron des ivrognes, et Robert, accusé dans la pièce XXIV (vers 139) d'avoir fait une fausse déclaration de ses biens lors de l'établissement de la taille. Baude Fastoul, dans ses *Congés*, mentionne dans la même strophe le fils de maître Henri et le frère d'Adam Aurri qui pourrait bien être notre Riquier (XLII). Si ce *frère Adam Aurri* (vers 503) est notre Riquier, on remarquera qu'Adam de la Halle était lié à Riquier ou passait pour l'être : cette situation se retrouve dans le *Jeu* où les deux Arrageois préparent de conserve le festin des fées. De plus, Rikeche Aurri, par le redoublement même du nom où l'on verra dans le second terme un cas du latin *aurum*, évoque la fortune, de là le don de Morgue ; Villon plaisantera encore sur le nom de Pierre Richier à l'école de qui il envoie trois vieux usuriers.

Sur le personnage dans le *Jeu*, voir notre *Sur le Jeu de la Feuillée*, pp. 119-121.

RIKIER AMIONS, 16, clerc et commerçant d'Arras, fils de Riquier 2 Amion mort en 1249. Il apparaît dans des actes échelonnés de 1261 à 1281, habitant en 1261 la rue Saint-Jean-de-Ronville. Il était mort en 1287. Il semble différent du personnage dont B. Fastoul prend congé, de Riquier 4 Amion, fils de Guillaume 4 Amion et homme du comte (XVIII, 209-216). C'était une famille opulente et célèbre : « Deux générations de poètes ont chanté la générosité et l'intelligence des Amion » (H. Guy et A. Jeanroy). Cf. R. Berger, *op. cit.*, pp. 298-300.

ROBERT COSIEL, 213, avare. Banquier connu, mort en 1284 (*Nécrologe* : *Grant Kozel Robert*) qui, associé à R. Crespin, avait prêté de l'argent au comte de Flandre en juillet 1280.

ROBERS SOUMILLONS, 404, Robers Soumeillons, 720, nouveau prince du *puy*. Riche bourgeois d'Arras, qui ne fut jamais prince du puy, encore en vie en 1301, mais mort en

1311 : il avait laissé à la ville sa maison pour qu'on en fît un hôpital, ainsi qu'une rente en argent. Voir note du vers 404.

ROMME, 456, Rome, siège de la papauté.

SOMME, 750, fleuve de Picardie. Sans doute équivoque avec le nom commun *somme* « sommeil », un des motifs importants de la pièce.

THOUMAS DE BOURIANE, 806, victime de la roue de Fortune. Ce bourgeois d'Arras, qui figure au *Nécrologe* en 1278, est mieux connu grâce aux travaux d'A. Guesnon. Dans ses *Recherches biographiques sur les trouvères artésiens,* il signale que le nom de *sir Tumas de Bouriane* apparaît « dans un chirographe original de 1252, où figure, parmi ses compagnons d'échevinage, Englebert Louchart, père du triomphateur Jakemon ». Une autre pièce, non datée mais se rapportant selon toute probabilité à une enquête de 1289, nous révèle que Thomas de Bourriane fut victime de Jakemon Pouchin. Voir note du vers 806 et notre *Adam de la Halle,* pp. 192-195.

THOUMAS DE CLARI, 411, bourgeois d'Arras, inconnu d'autre part.

THOUMAS DE DARNESTAL, 316, mal-marié. Une Berthe de Darnestal est inscrite au *Nécrologe* en 1263. Il ne semble pas que ce soit la femme de Thomas de Darnestal. Darnestal est aussi le nom d'une rue d'Arras (auj. rue Ernestale).

VAUCHELLES, 170, peut-être Vauchelles-lès-Authie (Somme). Voir la note du vers 170.

VEELET, 891, compagnon des acteurs à la taverne. Mentionné par Baude Fastoul dans ses *Congés* (L, 592).

VERMENDOIS, 300, Vermandois qui englobait à l'origine les doyennés d'Athis, de Curchy, de Ham, de Nesle, de Péronne, de Saint-Quentin et de Vendeuil. Erigé en comté dès le temps de Charlemagne, il fut rattaché au domaine royal en 1191 et fit partie de la Picardie. Ce bailli est peut-être Matthieu de Beaune. Voir note du vers 300.

WALAINCOURT, 362, sot, trop peu défini pour qu'on l'identifie avec l'un des multiples Walaincourt qu'on rencontre dans les documents.

WALET, 339, 340, 350, 360, 363, Walés, 342R, 354R, 362R, 372R, personnage du *Jeu,* sot; le *Nécrologe* mentionne pour 1283 un *pois pilés Valés;* or dans *la Feuillée*

Walet ne demande-t-il pas des pois pilés ? Voir R. Berger, *op. cit.*, p. 439 : « Varlet (*Jeux-partis*, 47, 67) — Les vers 67-70 du jeu-parti (« Varlet, se te presentoie / Une vielle et gestoie / Les cordes mauvaisement, / En serviroies la gent » ?) laissent entendre que Varlet est joueur de vielle. Dans *la Feuillée* figure un personnage nommé Walet et dont le père était, de son vivant, un vielleur renommé (vers 350-357). Ce vielleur, décédé avant la composition de la pièce, donc avant 1276, me paraît bien être notre Varlet. »

WARANCHE, 294, rue d'Arras qui aboutissait au Petit Marché (auj., rue des Trois-Visages).

WAUTIER A LE MAIN, 372, client de saint Acaire, pourrait être le même, comme l'a soutenu A. Guesnon, que *Vitulus Wautier* inscrit au *Nécrologe* en 1278 *(Pro Vitulo Wautier)*. Un *Willelmus Wautier* était échevin en mars 1263.

WAUTIER MULET, 872, dont la femme pourra prêter main-forte à Dame Douce et habite la Cité, était le fils d'Oedain qui possédait une part des moulins de Méaulens. « Une pièce satirique composée en 1242 le range parmi ceux qui refusent de payer la « laine m'antain » (*Chansons et dits* 19, 33-35). On le trouve cité dans un acte de mai 1256 (voir Jean 3). Avant mai 1257 — date à laquelle il est encore vivant — il vend à Henri Huquedieu la nue propriété de rentes sur les moulins de Méaulens dont sa mère Oede est usufruitière... Son décès est inscrit au *Nécrologe* entre le 30 mai et le 1er octobre 1274 » (R. Berger, *op. cit.*, p. 390).

WAUTIERS AS PAUS, 409, Wautiers (maistre), 413, concurrent au puy d'Arras. « Clerc. Encore aux études en mai 1236, et certainement encore jeune puisqu'il doit se faire assister d'un tuteur, il réclame le bénéfice d'une chapellenie fondée par sa sœur (*Adeluie*) dans l'abbaye du Vivier mais n'obtient qu'une rentre viagère de 62 sous jusqu'à ce qu'il soit « pourveü » (Du Buisson, Vivier, p. 71). C'est, me semble-t-il, le « maistre Wautiers as Paus » que raille Adam de la Halle (*Feuillée*, 408-417) — il aurait alors entre 55 et 60 ans — et le *Walterus ad Pollices, clericus* qui, depuis 1284 au moins, a sur la ville de Bruges une grosse rente à vie de 50 livres. Cette dernière encore servie le 15 août 1294, n'apparaît plus au compte commencé le 14 septembre 1297... Gautier est donc mort entre ces deux dates » (R. Berger, *op. cit.*, p. 401).

WILLAUMES WAGONS, 241, goinfre. Guillaume 2 Wagon que Fastoul salue dans ses *Congés* (vers 217-218) avec

Andrieu 4 Wagon dont il est peut-être le frère. Son décès est inscrit au *Nécrologe* immédiatement après le 4 juin 1298 (*au Wagonnois Willaume* 1298 1[1]). Cf. R. Berger, *op. cit.*, p. 419. Il appartient à une famille de financiers, mentionnée pour la première fois au milieu du XIIe siècle dans le cartulaire de Guiman. Cette famille de la grande bourgeoisie financière, proche encore des petits féodaux comme les châtelains, est mieux connue à partir de 1221. Possesseurs de fiefs, la terre leur fournit des fonds pour les prêts d'argent qui les rendirent célèbres et leur permirent de jouer les premiers rôles à l'échevinage où, fixant la taille, ils furent impopulaires. Ils sont attaqués dans les *Chansons et dits artésiens* : André est un trompeur imperturbable, Laurent un menteur de première force, Henri un trompeur par jeunesse et sottise qui ment pour ne pas être taxé, Wion accusé de feindre la pauvreté pour payer moins d'impôts.

TEXTES DES MANUSCRITS V et Pb

V

C'est li coumencemens du jeu Adan le Boçu

Seignour, savés pour koi j'ai men abit cangié ?
J'ai esté aveuc feme, or revois au clegié :
Or avertirai çou que j'ai pieça songié.
Ançoi sui a vous tous venus prendre congié.
Dire ne porront mie aucun que j'ai antés
Que d'aler a Paris soie pour nient vantés.
Cascuns puet revenir, ja si n'ert encantés,
Car en grant maladie gist sovent grans santés.
Ne pourtant n'ai jou mie ci men tans si perdu
Que jou n'aie en amer loiaument entendu
Si k'encore en pert il a tes qieus li pos fu.
Or revois a Paris.

Or se lieve un persounage et respont

Caitis, k'i feras tu ?
Onques d'Arras boins clers n'isi,
Et tu le veus faire de ti !
Ce seroit grans abusïons.

Or respont Adans

N'est mie Rikiers Amïons
Boins clers et soutieus en sen livre ?

Et uns autres respont

Ouail, pour .IIII. deniers le livre.
Je ne voi que sace autre cose.
Mais nus reprendre ne vous ose,
Tant avés vous muavle chief.

Or respont uns autres a celi

Cuidiés vous k'il venist a kief,
Biau dous amis, de çou qu'il dist ?

Or respont Adans

Chascuns mes paroles despit,
Ce me samble, et jete molt loing ;
Mais, puis que venroit au besoing
Et q'il m'estuet par moi aidier,
Saciés je n'ai mie si chier
D'Arras le soulas et le joie
Que l'aprendre laissier en doie.
Puis que Dieus m'a douné engien,
Tans est que jou l'atourne a bien :
J'ai ci assés me bourse escouse.

Or li respont uns autres

Et qe devenra li pagouse,
Me coumere dame Maroie ?

Et Adans respont

Biau sire, aveuc men pere iert ci.

Et cieus li respont

Maistres, il n'ira mie ensi,
S'ele se puet metre a le voie,
Car bien sai, s'onques le counui,
Que, s'ele vous i savoit hui,
Qu'ele iroit demain sans respit.

Et respont Adans

Et savés vous que j'en ferai ?
Pour li espanir meterai
De le moustarde seur men vit.

Et cieus li respont

Maistre, tout çou ne vous vaut nient,
Ne point li cose a çou ne tient,
N'ensi n'en poés vous aler,
Car, puisque sainte glise* apaire
.II. gens, ce n'est mie a refaire.
Eusiés pris garde a l'engrever.

* *on peut lire aussi :* saint' eglise.

Et Adans li respont

Par foi, cis dist par devinaille,
Ausi que : « Par ci le me taille ».
Qi se fust wardés a l'emprendre ?
Amours me print en un tel point
U li amans .II. fois se point
S'il se veut contre li desfendre,
Car pris fui u premier boullon,
Tout droit en le verde saison
Et en l'apreté de jouvent,
U li cose a plus grant saveur
Ne nus ne qace sen meilleur
Fors çou ki li vient a talent.
Estés faisoit bel et seri,
Vert et cler et fres et flouri.
(Le vers 65 manque dans le ms. V)
En haut bos, pres de fontenele
Clere sus maillie gravele,
Adont me vient avisïons
De celi que j'ai a feme ore
Qi or me samble pale et sore :
Adont estoit blanke et vermeille,
Rïans, amoureus et deugie,
Or sanle crase et mautaillie,
Tristre et tencans.

Or respont li persoune de devant

C'est grant merveille.
Voirement estes vous muavles,
Qant faitures si delitavles
Avés si briement oubliees.
Bien sai pour qoi estes saous.

Et respont Adans

Pour koi ?

Et cieus lui

Ele a fait envers vous
Trop grant markié de ses denrees.

Et respont Adans

Tproutp ! Riquece, a çou ne tient point ;
Mais Amours si le gent enoint
Et de grase si enlumine
Em feme et fait sambler plus grande,

Si c'on cuide d'une truhande
Que ce soit bien une roïne.
Si cring sambloient reluisant
D'or, crespe et roit et fourmïant;
Or sont keü, noir et pendic.
Tout me sanle ore en li mué.
Ele avoit front bien conpassé,
Blanc, ouni, large, fenestric;
Or le voi creté et estroit.
Les sourcieus par samblance avoit
Enarcans, soutieus et ligniés,
De brun poil con trass de pincel
Pour le rouart faire plus bel;
Or les vois espars et dreciés
Con s'il veulent voler en l'air.
Si noir oel me sambloient vair,
Sec et fendu, prest d'acointier,
Gros desous delié fouciaus,
A .II. petits plocons jumiaus,
Ouvrans et cloans a dangier
En rouart simples, amoureus.
Et se descendoit entre deus
Li tuiaus du nés bel et droit,
Poursievans par ars de mesure
Qi li dounoit fourme et figure
Et de geeté soupiroit.
Entour avoit blanques maissailes,
Faisant au ris .II. foiseles,
Un peu nuees de vermeil,
Parant parmi le ceuvrekief.
Ne Dieus ne venroit mie a kief
De faire un viaire pareil
Que li siens, adont me sanloit.
Li bouque aprés se poursievoit,
Graile a cors et grosse u moilon,
Fresq et vermeille plus que rose;
Blance ententure, jointe et close.
Et aprés foucelé menton
Dont naissoit li blanque gorgete,
Trusk'as espaules sans fosete,
Ounie et grosse en avalant;
Haterel poursievant deriere,
Sans poil, gros et blanc de maniere,
Seur se cote un peu reploiant;

Espaules qi point n'encrucoient,
Dont li lonc brac adevaloient,
Gros et graile u il aferoit.
Et encore estoi ce du mains,
Qi rewardast ses blances mains
Dont naissoient li biaus lonc doit,
A basse jointe, graille en fin,
Couvert d'un bel ongle sangin,
Pres de le car ouni et net.
Or venrai au moustré devant,
Puis le gorgete en avalant,
Tout premier au pis camuset,
Dur, cort et haut de point et bel,
Entrecloant le ruiotel
D'Amours qi qiet en le fourcele ;
Boutine avant a rains vauties,
Com mances d'ivoire entaillies
A ces coutiaus a demiseles.
Plate hanque, ronde ganbete,
Gros bran, basse qevillete,
Pié vautic, haingre, a peu de char.
En li me sambloit teus devise.
Et croi que desous le quemise
N'aloit point li sourplus en dar.
. . . . . .
. . . . . .
Bele gent, ensi fui je pris
Pour Amour qi si m'eut soupris,
Car faiture n'eut point si beles
Q'Amours le me fist sambler,
Mais Desirs le me fist gouster
A le grant saveur de Vauceles.

Pb

Le jeu Adan le Boçu d'Arraz

Seignour, savez por qoi j'ai mon abit changié ?
J'ai esté avoec fame, or revois au clergié :
Or avertira ce que j'ai pieça songié.
Por ce vieng a vous toz ainçois prendre congié.

Or ne porront pas dire aucun qui j'ai hantez
Que d'aler a Paris soie por nient vantez.
Chascuns puet revenir, ja n'ert si enchantez,
Quar bien grant maladie ensiut bien granz santez.
D'autre part je n'ai pas ci si mon tens perdu
Que je n'aie a amer leaument entendu
Si qu'encore pert il aus * tes quels li pos fu.
Or revois a Paris.

Chetis qu'i feras tu ?
Onques d'Arras bons clers n'issi,
Et tu le veus fere de ti !
Ce seroit granz abusïons.

N'est mie Riquiers Amïons
Bons clers et soutiex en son livre ?

Oïl, por .II. deniers le libre.
Je ne voi qu'il sache autre chose.
Mes nus reprendre ne vous ose,
Tant avés vous muable chief.

Cuidiez vous qu'il venist a chief,
Biaus douz amis, de ce qu'il dist ?

Chascuns mes paroles despist,
Ce me samble, et gete molt loins,
Mes, puis que ce vient au besoins
Et que par moi m'estuet aidier,
Sachiez je n'ai mie si chier
Le sejor d'Arras ne la joie
Que l'aprendre lessier en doie.
Puis que Diex m'a doné engien,
Tans est que je le torne a bien :
J'ai ci assez ma borse escousse.

Et que devendra la pagousse,
Ma commere dame Maroie ?

Biaus sire, avoec mon pere ert ci.

Mestres, il n'ira mie ainsi,
S'ele se puet metre a la voie,

* *a effacé dans le ms.*

Quar bien sai, s'onques la connui,
Que, s'ele vous i savoit hui,
Qu'ele iroit demain sanz respit.

Et savez vous que je ferai ?
Por li espaenter metrai
De la moustarde sor mon vit.

Mestre, tout ce ne vous vaut nient,
Ne la chose a ce point ne tient.
Ainsi n'en poez vous aler,
Quar, puis que sainte yglise apaire
.II. genz, ce n'est mie a refaire.
Prendre estuet garde a l'engrener.

Par foi, cil dist par devinaille,
Ausi com : « par ci le me taille ».
Quil s'en fust gardez a l'enprendre ?
Amors me prist en .I. tel point
Que li amanz .II. foiz se point
S'il se veut dont vers li desfendre ;
Quar pris sui au premier buillon,
Tout droit en la verde seson
Et en l'aspresce de jovent,
Quant la chose a plus grant saveur,
Et nus ne chace son meilleur,
Fors ce que miex vient a talent.
Estez fesoit bel et seri,
Douz et cler et vert et flori,
Delitable en chans d'oiseillons.
En haut bois, pres de fontenele
Clere sor maillie gravele,
Adonc me vint avịsïons
De celi que j'ai a fame ore,
Qui me samble ore et pale et sore,
Qu'ele estoit donc blanche et vermeille,
Rïanz, amoreuse et deugie,
Or samble crasse et maltaillie,
Triste et tencanz.

C'est granz merveille.
Voirement estes vous muables,
Quant fetures si delitables
Avez si briefment oubliees.
Ne sai por qoi estes saouls.

Por qoi ?
                    Ele a fet envers vous
Trop grant marchié de ses denrees.

Trop ! Richece, a ce ne tient point,
Quar Amors la gent si enoint
Que chascune grace enlumine
En fame et fet sambler plus grande
Si c'on cuide d'une truande
Que ce soit bien une roïne.
Si crin sambloient reluisant
D'or, crespe, cler et bien luisant ;
Or sont cheü, noir et pendic.
Tout me samble ore en li mué.
Ele avoit front bien compassé,
Blanc, ouni, large, fenestric ;
Or le voi cresté et estroit.
Les sorciex par samblance avoit
Enarcanz, soutiex et lingniez,
De brun poil con trais de pincel
Por le regart fere plus bel ;
Or les voi espars et dreciez
Con s'il vueillent voler en l'air.
Si noir oeil me sambloient vair,
Sec et fendu, prest d'acointier,
Gros desouz deliëz fauciaus,
A .II. petiz ploicons jumiaus,
Ouvranz et cloanz a dangier
En simple regart amoreus.
Et si descendoit entre .II.
Li tuiaus du nez bel et droit,
Porsivant par art de mesure
Qui li donoit forme et figure
Et de gayeté souspiroit.
Entor avoit blanches maisseles,
Fesanz au rire .II. foisseles,
.I. poi muees de vermeil,
Paranz par mi le cuevrechief.
Ne Diex ne vendroit mie a chief
De fere .I. viaire pareil
Con li siens, adonc me sambloit.
La bouche aprés le porsivoit,
Graisle au cors et grosse ou moilon,
Fresche et vermeille plus que rose,

Blanche endenture, jointe et close.
Et aprés forcelé menton
Dont naissoit la blanche gorgete,
Dusqu'aus espaules sanz foissete,
Ounie et grosse en avalant ;
Haterel porsivant derriere
Sanz poil blanc et ert de maniere,
Sor sa cote .I. poi reploiant ;
Espaules qui pas n'encrunchoient,
Dont li lonc braz adevaloient,
Gros et graisle ou il aferoit.
Mes encore estoit ce du mains
Qui regardoit ses blanches mains
Dont nessoient si bel lonc doit,
A basse jointe et gresle en fin,
Couvert d'un bel ongle sanguin,
Pres de la char ouni et net.
Or vendrai au moustré devant,
Puis la gorgete en avalant,
Et premiers au pis camuset,
Dur, cort et haut de point et bel,
Entrecloant le ruiotel
D'Amors qui chiet en la forcele ;
Boutine avant et rains voutices,
Que manche d'yvuire entaillies
A ces coutiaus a damoisele.
Plate jambe, ronde jambete,
Gros braon, basse chevillete,
Pié vautiz, haingre a peu de char.
En li me sambloit tel devise.
Si croi que desouz la chemise
N'aloit pas li sorplus en dar.
Et ele perçut bien de li
Que je l'amoie plus que mi,
Si se tint vers moi chierement,
Et con plus chiere se tenoit,
En mon cuer plus croistre fesoit
Amor et desir et talent.
Avoec s'en mesla jalousie,
Desesperance et derverie.
Et plus et plus ert enardant
Por s'amor et mains me connui
Tant c'onques aaise ne fui
Si oi fet du mestre seignor.

Bone gent, ainsi fui je pris
Par Amors qui m'avoit sorpris,
Quar fetures n'ot pas si beles
Comme Amors le mes fist sambler,
Mes Desirs le me fist gouster
A la grant saveur de Vauceles.
S'est tens que je m'en reconnoisse
Tout avant que ma fame engroisse
Ne que la chose plus me coust
Quar mes fains en est rapaiez.

Explicit uns geus

BIBLIOGRAPHIE

Nous nous limitons au *Jeu de la Feuillée*. Pour les autres œuvres, on se reportera à notre édition (à paraître dans la même collection) du *Jeu de Robin et Marion*.

I. EDITIONS.

E. H. DE COUSSEMAKER, *Œuvres complètes du trouvère Adam de la Halle*, Paris, 1872.

L. J. N. MONMERQUE et Fr. MICHEL, *Théâtre français au Moyen Age*, Paris, 1879, pp. 55-96 (texte d'après P et traduction).

A. RAMBEAU, *Die dem trouvère Adam de la Halle zugeschriebenen Dramen. Li jus du Pelerin, Li gieus de Robin et de Marion, Li jus Adan*, Marburg, 1886, pp. 70-97 (*Ausgaben und Abhandlungen aus dem Gebiete der romanischen Philologie*, LVIII). Reproduction diplomatique.

E. LANGLOIS, *Adam le Bossu, trouvère artésien du XIIe siècle. Le Jeu de la Feuillée*, Paris, 1911, 1923 (*Classiques français du Moyen Age*, 6).

I. SICILIANO, *Teatro francese*. I. *Dalle origini a Corneille*, Florence, 1959, pp. 181-194.

F. W. LANGLEY, *A critical edition of the Jeu de la Feuillée by Adam de la Halle with a study of the author's language and style*, Thèse, Université d'Oxford, 1967-1968.

O. GSELL, *Das Jeu de la Feuillée von Adam de la Halle, kritischer Text mit Einführung. Übersetzung, Anmerkungen und einem vollständigen Glossar*, Würzburg, 1970.

R. BORDEL, M. FRIEDEL-WENZEL, W. NITSCH, u.a. Redaktion K. H. SCHRÖDER, *Das Laubenspiel. Einlei-*

tung. Text, Deutsche Übersetzung, Munich, 1972 (*Klassische Texte des Romanischen Mittelalters in zweiprachigen Ausgaben*, 11).

J. DUFOURNET, *Adam de la Halle, Le Jeu de la Feuillée, édité, traduit et annoté*, Gand, Editions scientifiques E. Story-Scientia S.P.R.L., 1977 (*Ktemata*, 4).

R. BRUSEGAN, *Adam de la Halle, La Pergola, ovvero il gioco della follia*, Venise, 1986.

II. TRADUCTIONS.

Outre les traductions signalées ci-dessus, voir les traductions en français de :

E. LANGLOIS, Paris, 1923 (*Poèmes et récits de la Vieille France*, I).

J. FRAPPIER et A.-M. GOSSART, Paris, s.d. (*Classiques Larousse*).

J. RONY, Paris, 1969 (*Petits Classiques Bordas*).

Cl. BURIDANT et J. TROTIN, Paris, 1972 (*Traductions des Classiques français du Moyen Age*).

Cl. A. CHEVALLIER, dans *le Théâtre comique du Moyen Age*, Paris, 1973 (Collection 10/18, 752).

III. ETUDES.

A. ADLER, *Sens et composition du Jeu de la Feuillée*, Ann Arbor, 1956 (c.r. de F. LECOY dans *Romania*, t. 78, 1957, p. 430).

J.-Cl. AUBAILLY, *Le Théâtre médiéval profane et comique*, Paris, 1975 (*Thèmes et textes*).

R. AXTON, *European Drama in the early Middle Ages*, Londres, 1974, pp. 140-144.

C. W. L. BAHLSEN, *Adam de la Halle's Dramen und das Jus du Pelerin*, Marburg, 1885.

M. BAKHTINE, *L'Œuvre de François Rabelais et la culture populaire au Moyen Age et sous la Renaissance*, trad. par A. ROBEL, Paris, 1970 (*Bibliothèque des Idées*).

J. BASTIN, c.r. de G. MAYER, *Lexique des œuvres d'Adam de la Halle*, Paris, 1940, dans *Romania*, t. 67, 1942-1943, pp. 383-397.

J. BEDIER, *Les Commencements du théâtre comique en France*, dans la *Revue des Deux Mondes*, t. 99, juin 1890, pp. 869-897.

E. J. BENKOV, *A new meaning for old French « pagousse » (Le Jeu de la Feuillée)*, dans *Romance Philology*, t. 34, 1980-1981, pp. 434-437.

R. BERGER, *Le Nécrologe de la confrérie des jongleurs et des bourgeois d'Arras (1194-1361)*, Arras, t. 1, 1963, t. 2, introduction, 1970 (*Mémoires de la Commission départementale des Monuments historiques du Pas-de-Calais*); *Les Bourgeois dans la littérature romane (zone Ouest), J. Bodel, B. Fastoul, A. de la Halle*, dans *La Revue de l'Université de Bruxelles*, 1978, n° 4, pp. 429-436 ; *Littérature et société arrageoises au XIIIe siècle. Les Chansons et dits artésiens*, Arras, 1981 (*Mémoires de la Commission départementale des Monuments historiques du Pas-de-Calais*).

B. BERKE, *Social Marginality and the Urban Theater*, dans *Romanic Review*, t. 74, 1983, pp. 405-412.

J. E. BLACKBURN, *Thematic Unity in the Jeu de la Feuillée*, dans *Authors and their centuries*, éd. par Philip GRANT, Columbia, University of South Carolina, 1974, VI, pp. 1-10 (*French Literature Series*, I).

H. BRAET, *Désenchantement et Verfremdungseffekt. Sur la fonction du merveilleux dans le « Jeu de la Feuillée »*, dans *Essays in Medieval Drama*, Farmington, 1983.

R. BRUSEGAN, *Per un'interpretazione del Jeu de la Feuillée*, dans *Biblioteca teatrale*, t. 23-24, 1979, pp. 132-179.

N. R. CARTIER, *Le Bossu désenchanté. Etude sur le Jeu de la Feuillée*, Genève, 1971 (*Publications romanes et françaises*, 116); *La Mort d'Adam le Bossu*, dans *Romania*, t. 89, 1968, pp. 116-124.

S. J. CLARK, *The Theatre of Medieval Arras, Dissertation Abstracts International*, Ann Arbor, XXXIV, 1973-1974, 2615 A (Thèse Yale University, 1973).

G. COHEN, *Le Théâtre en France au Moyen Age*, Paris, 1948, pp. 79-80.

G. COLON, *Le Jeu de la Feuillée, vers 16 à 19*, dans *Revue de linguistique romane*, t. 31, 1967, pp. 308-315.

G. DE POERCK, c.r. de G. MAYER, *Lexique des œuvres d'Adam de la Halle*, dans *Revue belge de philologie et d'histoire*, t. 23, 1944, pp. 367-370.

R. DERCHE, *Le Comique dans le Jeu de saint Nicolas et le Jeu de la Feuillée*, dans *Etudes de textes français. I. Le Moyen Age*, Paris, SEDES, 1964, pp. 213-238.

G. DI STEFANO, *Structure métrique et structure dramatique*, dans *The Theatre in the Middle Ages*, Louvain, 1985, pp. 194-206.

J. B. DOZER, *Mimesis and Li Jeus de la Feuillée,* dans *Tréteaux,* t. 3, 1981, pp. 80-89.

Fr. DUBOST, *Sur le Jeu de la Feuillée. A propos d'un livre récent,* dans le *Moyen Age,* 1979, pp. 113-117.

E. DUBRUCK, *The Marvelous Madman of the Jeu de la Feuillée,* dans *Neophilologus,* t. 58, 1974, pp. 180-188.

J. DUFOURNET, *Adam de la Halle et le Jeu de la Feuillée,* dans *Romania,* t. 86, 1965, pp. 199-245 ; *Sur le Jeu de la Feuillée.* (1. A propos de Robert Sommeillon ; 2. Le « Mal saint Liénart »), dans la *Revue des langues romanes,* t. 76, 1965, pp. 7-18 ; *Sur quatre mots du Jeu de la Feuillée* (1. Aubenaille ; 2. Encore esprec ; 3. Che sanle miex. I. pois baiens ; 4. Rabaches) dans *Romania,* t. 94, 1973, pp. 103-116 ; *Adam de la Halle à la recherche de lui-même ou le Jeu dramatique de la Feuillée,* Paris, 1974 ; *Sur le Jeu de la Feuillée. Etudes complémentaires,* Paris, 1977 (*Bibliothèque du Moyen Age*) ; *Le Jeu de la Feuillée et la fête carnavalesque,* dans *l'Information littéraire,* t. 29, 1977, pp. 7-13 ; *Notes complémentaires sur le Jeu de la Feuillée,* dans *Romania,* t. 99, 1978, pp. 98-108.

J. DUVIGNAUD, *Les Ombres collectives. Sociologie du théâtre,* Paris, 1973, pp. 122-124.

A. ESKENAZI, *En dépouillant B.N. 25566. Grammaire et dialectalité (Le Jeu de Robin et Marion* et *le Jeu de la Feuillée),* dans *Travaux de linguistique et de Littérature,* t. 18, 1980, pp. 333-343.

L. FOULET, *Pour le commentaire du Jeu de la Feuillée : monter sur le tas (v. 792),* dans *Romania,* t. 67, 1942-1943, pp. 367-369.

M. FRANCON, *Le Jeu de la Feuillée et la veille de la Saint-Jean d'été,* dans le *Bulletin de la Société de mythologie française,* n° 143, oct.-déc. 1973.

G. FRANK, *The Medieval French Drama,* Oxford, 1954.

J. FRAPPIER, *Le Théâtre profane en France au Moyen Age (XIIIe et XIVe siècles),* Paris, 1960 (*Les Cours de Sorbonne*).

L. GALACTEROS DE BOISSIER et Y. GIRAUD, *Fortune et sa roue dans le Jeu de la Feuillée,* dans *l'Information littéraire,* t. 34, 1982, pp. 54-60.

R. GARAPON, *La Fantaisie verbale et le comique dans le théâtre français du Moyen Age à la fin du XVIIe siècle,* Paris, 1957.

F. GEGOU, *Adam le Bossu était-il mort en 1288?* dans *Romania,* t. 86, 1966, pp. 111-117.

Ch. T. GOSSEN, *Les Mots du terroir chez quelques poètes arrageois du Moyen Age,* dans *Travaux de linguistique et de *littérature*, t. 16, 1978, pp. 183-195 (*Mélanges... J. Rychner*).

J. H. Grisward, *Les Fées, l'Aurore et la Fortune (Mythologie indo-européenne et le Jeu de la Feuillée)*, dans *Etudes... offertes à André Lanly*, Nancy, 1980, pp. 121-136.

O. Gsell, *Remarques sur le style du Jeu de la Feuillée d'Adam de la Halle*, dans *Actele celui de -al XII- lea congres international de lingvistica si filologia romanicà* (Bucarest 15-20 avril 1968), Bucarest, 2 vol., 1970-1971, t. II, pp. 723-728.

A. Guesnon, *La Satire à Arras au XIIIe siècle*, dans le *Moyen Age*, t. 12, 1899, pp. 156-158, 248-268 ; t. 13, 1900, pp. 1-34, 117-168 ; *Une édition allemande du trouvère Adam de la Halle*, *ibidem*, t. 14, 1901, pp. 197-212 ; *Nouvelles recherches biographiques sur les trouvères artésiens*, *ibidem*, t. 15, 1902, pp. 137-173 ; *Publications nouvelles sur les trouvères artésiens*, *ibidem*, t. 22, 1909, pp. 65-93 ; *Adam de la Halle et le Jeu de la Feuillée, date de la pièce, son caractère, son attribution*, *ibidem*, t. 28, 1915, pp. 173-233.

H. Guy, *Essai sur la vie et les œuvres du trouvère Adam de la Halle*, Paris, 1898 ; *Bibliographie critique du trouvère Adam de la Halle*, dans la *Revue des Etudes historiques*, t. 66, 1899, pp. 201-212.

Fr. Helfenbein, *Die Sprache des Trouvere Adam de la Halle aus Arras*, dans *Zeitschrift für romanische Philologie*, t. 35, 1911, pp. 309-363, 397-435.

A. Henry, *Sur le vers 96 du Jeu de la Feuillée*, dans *Romania*, t. 75, 1954, pp. 243-244.

P. Homan, *Structure et mouvement dans le Jeu de la Feuillée*, dans *Chimères*, t. 15, 1982, pp. 13-25.

S. Huot, *Transformations of lyric voice in the songs, motets and plays of Adam de la Halle*, dans *Romanic Review*, t. 78, 1987, pp. 148-164.

A. Jeanroy et M. Roques, *Pour le commentaire du Jeu de la Feuillée : resproer (v. 315), pavillon (v. 369)*, dans *Romania*, t. 67, 1942-1943, pp. 80-90 ; c.r. d'H. Guy, *Essai...* dans *Romania*, t. 29, 1900, pp. 294-300.

A. Kay, *Une étude de la réalité dans le Jeu de la Feuillée*, dans *Chimères*, t. 13, 1979, pp. 17-45.

E. Langlois, *Notes sur le Jeu de la Feuillée d'Adam le Bossu*, dans *Romania*, t. 32, 1903, pp. 385-393 ; *Gaston Paris et l'auteur du Jeu de la Feuillée*, *ibidem*, t. 48, 1922, pp. 279-283.

A. Lanly, *Le Jeu de la Feuillée*, dans *Mélanges... Jean*

Frappier, Genève, 1970, pp. 563-566 (*Publications romanes et françaises*).

A. LEUPIN, *Le Ressassement. Sur le Jeu de la Feuillée d'Adam de la Halle,* dans le *Moyen Age*, t. 89, 1983, pp. 239-268.

H. LEWICKA, *L'Elément picard dans la langue de quelques poètes arrageois des XIIe et XIIIe siècles,* dans *VIII Congresso Internazionale di Studi Romanzi*, Firenze, 3-8 Aprile 1956, Atti II/I, 1960, pp. 249-262.

E. LINTILHAC, *Histoire générale du théâtre en France. II. La comédie. Moyen Age et Renaissance,* Paris, 1905.

H. LOOS, « *Esprec* » *dans le Jeu de la Feuillée,* dans *Modern Language Notes*, t. 52, 1937, pp. 262-264.

G. LUTGEMEIER, *Beiträge zum Verständnis des Jeu de la Feuillée von Adam le Bossu,* Bonn, 1969 (*Romanistische Versuche und Vorarbeiten*, 27).

G. D. MC GREGOR, *Adam's game. A reading of the Jeu de la Feuillée,* dans *Dissertation Abstracts International*, Ann Arbor, XXXIX, 1978-1979, 2320 A, Thèse Princeton.

J. MAILLARD, *Adam de la Halle, perspective musicale,* Paris, 1982.

Cl. MAURON, *Le Jeu de la Feuillée, étude psychocritique,* Paris, 1973 ; *Le Voyage d'Adam de la Halle à Paris d'après le Jeu de la Feuillée,* dans *Senefiance*, t. II (Cahiers du CUER-MA), Aix-en-Provence, 1976, pp. 183-194.

Ch. MELA, *Blanchefleur et le Saint Homme ou la semblance des reliques. Etude comparée de littérature médiévale* (*Conte du Graal, Jeu de la Feuillée, Aucassin et Nicolette*), Paris, 1978 (*Connexions du champ freudien*).

Ph. MENARD, *Le Sens du Jeu de la Feuillée,* dans *Travaux de linguistique et de littérature*, t. 16, 1978, pp. 381-393 ; *Et ce biecu le Faveriel. Note sur un passage du Jeu de la Feuillée,* dans *Etudes... offertes à André Lanly*, Nancy, 1980, pp. 232-238 ; *Une parole rituelle dans la chevauchée fantastique de la Mesnie Hellequin,* dans *Littératures* (Toulouse), t. 9-10, 1984, pp. 1-11.

D. MUSSO, *Adam o dell' ambivalenza. Note sul Jeu de la Feuillée,* dans *L'immagine riflessa*, t. 8, 1985, pp. 3-26.

G. NEUMANN, *Der Formenbau des Namens und Verbums in den Dramen Adams de la Hale,* Kiel, 1910.

W. NOOMEN, *Remarques sur la versification du plus ancien théâtre français. L'enchaînement des répliques et la rime mnémotechnique,* dans *Neophilologus*, t. 40, 1956, pp. 179-193.

D. NORTHWAY, *The Idea of the Feminine in le Jeu de la*

Feuillée, dans *les Bonnes Feuilles*, t. 9, 1980, pp. 73-91.

G. PAOLI, *La Taverne au Moyen Age. Arras et l'espace picard*, thèse pour le doctorat d'Etat, janvier 1987 (Sorbonne nouvelle, Paris III).

J.-Ch. PAYEN, *L'Idéologie dans le Jeu de la Feuillée*, dans *Romania*, t. 94, 1973, pp. 499-504 ; *Typologie des genres et distanciation : le double Congé d'Adam de la Halle*, dans *Kwartalnik Neofilologiczny*, t. 17, 1980, pp. 115-132.

N. PASERO, *I capelli di Riquier, Jeu de la Feuillée, vers 683-684*, dans *Mediœvo Romanzo*, t. 11, 1986, pp. 161-169.

D. POIRION, *Le Rôle de la fée Morgue et de ses compagnes dans le Jeu de la Feuillée*, dans le *Bulletin bibliographique de la Société Internationale Arthurienne*, t. 18, 1966, pp. 125-135.

M. L. H. RAPHALEN, *Etude stylistique et thématique du Jeu de la Feuillée d'Adam de la Halle*, dans *Dissertation Abstracts International*, Ann Arbor, XXXVIII, 1977-1978, 5452 A-5453 A, Thèse Tulane University.

J. RATH, *Der Dialog in den Komödien des Adam de la Halle. Psychologisch-syntaktische Studie*, Vienne, 1937.

G. RAYNAUD DE LAGE, *Une hypothèse à propos du portrait de Maroie et du Jeu de la Feuillée*, dans *Romania*, t. 97, 1976, pp. 542-546.

H. REY-FLAUD, *Pour une dramaturgie du Moyen Age*, Paris, P.U.F., 1980 (*Littératures modernes*, 22).

J. RIBARD, *Théâtre et symbolisme au XIIIe siècle*, dans *The Theatre in the Middle Ages*, Louvain, 1985, pp. 103-118.

M. ROUSSE, *Le Jeu de la Feuillée et les coutumes du cycle de mai*, dans les *Mélanges... offerts à Charles Foulon*, Rennes, 1980, pp. 313-327.

H. ROUSSEL, *Notes sur la littérature arrageoise du XIIIe siècle*, dans la *Revue des sciences humaines*, t. 87, 1957, pp. 249-286.

M. SEPET, *Observations sur le Jeu de la Feuillée d'Adam de la Halle*, dans les *Etudes romanes dédiées à Gaston Paris*, 1891, pp. 69-81.

A. SERPER, *L'Allégorie dans le Jeu de la Feuillée d'Adam de la Halle*, dans *Studies in the Drama*, Jérusalem, 1967, pp. 219-227.

D. R. SUTHERLAND, *Fact and Fiction in the Jeu de la Feuillée*, dans *Romance Philology*, t. 13, 1959-1960, pp. 419-428.

M. UNGUREANU, *La Bourgeoisie naissante. Société et littérature bourgeoises d'Arras aux XIIe et XIIIe siècles*, Arras, 1955

(Mémoires de la Commission des Monuments historiques du Pas-de-Calais).

E. VANCE, *Le Jeu de la Feuillée and the Poetics of Charivari*, dans *Modern Language Notes*, t. 100, 1985, pp. 815-828.

Ph. WALTER, *L'Ordre et la mémoire du temps. La fête et le calendrier dans les œuvres narratives françaises de Chrétien de Troyes à La Mort Artu*, thèse pour le Doctorat d'Etat, juin 1987 (Paris-Sorbonne).

Th. WALTON, *Staging Le Jeu de la Feuillée*, dans *Modern Language Notes*, t. 36, 1941, pp. 344-350.

G. ZAGANELLI, *Società nuova e uomini nuovi nella poesia artesiana del XIII secolo*, dans *Spicilegio moderno*, t. 2, 1973, pp. 147-160 ; *Amors e clergie in Adam de la Halle*, *ibidem*, t. 7, 1977, pp. 22-35.

M. ZIMMERMAN, *Controversies on Le Jeu de la Feuillée*, dans *Studia Neophilologica*, t. 39, 1967, pp. 229-243.

P. ZUMTHOR, *Entre deux esthétiques : Adam de la Halle*, dans *Mélanges ... offerts à Jean Frappier*, Genève, 1970, t. II, pp. 1155-1171.

IV. Pour lire les autres œuvres d'Adam de la Halle, on utilisera les éditions de :

R. BERGER, *Canchons und Partures des altfranzösischer Trouvère Adam de le Hale, le Bochu d'Arras*, Halle, 1900 (*Romanische Bibliotek*, XVII).

A. JEANROY, *Trois Dits d'amour du XIIIe siècle*, dans *Romania*, t. 22, 1903, pp. 45-70.

A. LANGFORS, A. JEANROY et L. BRANDIN, *Recueil général des jeux-partis*, Paris, 1926, 2 vol. (*Société des anciens textes français*).

J. H. MARSHALL, *The Chansons of Adam de la Halle*, Manchester, 1971.

L. NICOD, *Les Jeux-partis d'Adam de la Halle*, Paris, 1917 (*Bibliothèque de l'Ecole des Hautes Etudes*, CCXXIV).

G. RAYNAUD, *Recueil de motets français des XIIe et XIIIe siècles*, Paris, 1882.

P. RUELLE, *Les Congés d'Arras (Jean Bodel, Baude Fastoul, Adam de la Halle)*, Bruxelles-Paris, 1965 (*Travaux de la Faculté de Philosophie et Lettres*, XXVII).

K. VARTY, *Le Jeu de Robin et Marion par Adam de la Halle*,

précédé du Jeu du Pèlerin, Londres-Toronto-Wellington-Sydney, 1960.

N. WILKINS, *The Lyric Works of Adam de la Halle (Chansons, Jeux-Partis, Rondeaux, Motets)*, American Institute of Musicology, 1967.

CHRONOLOGIE

1250. Constitution du Parlement de Paris. Nouveaux affranchissements de serfs. Saint Louis est vaincu à Mansourah. Paraît la grande encyclopédie de l'époque, le *Speculum majus* de Vincent de Beauvais. Chansons de Colin Muset ; *Roman de la Poire* de Tibaut ; *Historia Tartarorum* de Simon de Saint-Quentin ; *Grand Coutumier de Normandie*.

1251. Le *Paradisus magnus* transporte deux cents passagers de Gênes à Venise.

1252. La monnaie d'or apparaît à Gênes et à Florence. Innocent IV autorise l'Inquisition à utiliser la torture. Mort de Blanche de Castille.
Saint Thomas d'Aquin enseigne à Paris, jusqu'en 1259, tentant de concilier le christianisme et la pensée aristotélicienne.

1253. Le plus ancien exemple d'escompte connu. Condamnation des clercs bigames à Arras. Guillaume de Rubrouk chez les Mongols.
Mort du prince-poète Thibaud IV de Champagne. Eglise supérieure d'Assise.

1254. Saint Louis ordonne une enquête sur la gestion des baillis. Emploi des chiffres arabes et du zéro en Italie. Conflit entre les réguliers et les séculiers à l'Université de Paris : Guillaume de Saint-Amour attaque les ordres mendiants dans le *De Periculis novissimorum temporum*. Rutebeuf attaque les frères mendiants dans la *Discorde de l'Université et des Jacobins*.

1255. *Légende dorée* de Jacques de Voragine : c'est la grande encyclopédie hagiographique du Moyen Age. Mathieu

Paris, *Chronica majora*. *Armorial Bigot*, début du langage héraldique.

1257. Robert de Sorbon fonde à Paris la Sorbonne, à l'origine collège pour les théologiens. Miniatures du psautier de saint Louis.
Rutebeuf continue à écrire contre les frères mendiants : *le Pharisien* et *le Dit de Guillaume de Saint-Amour*.

1258. Prise de Bagdad par les Mongols. Michel VIII Paléologue, empereur byzantin.
Rutebeuf, *Complainte de Guillaume de Saint-Amour*.

1259. Traité de Paris entre la France et l'Angleterre. Saint Bonaventure, *Itinéraire de l'esprit vers Dieu*; Rutebeuf, *les Règles des moines*, *le Dit de sainte Eglise* et *la Bataille des vices contre les vertus*.

1260. Saint Louis interdit la guerre privée, le duel judiciaire, le port d'armes. Le moulin à vent se répand en Occident.
Portail de la Vierge à Notre-Dame de Paris; Nicola Pisano, chaire du baptistère de Pise.
Récits du Ménestrel de Reims; *Méditations* du Pseudo-Bonaventure sur les aspects humains de Jésus; Rutebeuf, les Ordres de Paris. Etienne de Bourbon, *Anecdotes historiques*.

1261. Fin de l'empire latin de Constantinople. Louis IX interdit sa cour aux jongleurs. Rutebeuf, les *Métamorphoses de Renart* et *le Dit d'Hypocrisie*.

1262-1266. Saint-Urbain de Troyes : gothique flamboyant. Rutebeuf, *Complainte de Constantinople*, fabliau de *Frère Denise*, puis, sans doute, *Poèmes de l'infortune*, poèmes religieux (*Vie de sainte Marie l'Egyptienne* et *la Voie de paradis*), et peut-être *Miracle de Théophile*.

1263. Ecu d'or en France. Famine en Bohême, Autriche et Hongrie. Emeute anticléricale à Cologne.

1263-1278. Jean de Capoue, dans le *Directorium vitae humanae*, donne une traduction latine du *Kalila et Dimna* (traduction arabe du *Pantchatantra*).

1264. Institution de la Fête-Dieu pour toute l'Eglise latine. *Le Livre du Trésor*, encyclopédie d'un Florentin exilé en France, Brunetto Latini, rédigée directement en français.

1265-1268. Charles d'Anjou conquiert le royaume de Sicile.

Clément V établit le droit des papes à s'attribuer tous les bénéfices ecclésiastiques.
Roger Bacon, dans ses *Opera,* s'efforce de concilier raison et expérience. Rutebeuf écrit des chansons de croisade : *la Chanson de Pouille, la Complainte d'outremer, la Croisade de Tunis, le Débat du croisé et du décroisé.*

1266-1274. Saint Thomas d'Aquin, *la Somme théologique.*

1267. Naissance de Giotto.

1268. Découverte par Peregrinus de l'attraction entre deux pôles magnétiques. Moulins à papier à Fabriano, en Italie. Début de la seconde querelle de la pauvreté à Paris. Nicola Pisano, chaire de la cathédrale de Sienne.

1269. Pierre de Maricourt, *Lettre sur l'aimant.*

1270. Saint Louis meurt à Tunis. Première condamnation de l'averroïsme et de Siger de Brabant.
Au tympan de la cathédrale de Bourges, *le Jugement dernier.* Huon de Cambrai, *Vie de saint Quentin* ; poésies de Baudouin de Condé.

1271. Après la mort d'Alphonse de Poitiers, rattachement de la France d'oc à la France d'oïl.

1271-1295. Grand voyage et séjour de Marco Polo en Chine et dans l'Asie du Sud-Est.

1272. Edouard Ier, roi d'Angleterre.
Mort de Baude Fastoul (*les Congés*) et de Robert le Clerc (*les Vers de la Mort*). Cimabue, *Portrait de saint François d'Assise.*

1274. Concile de Lyon : tentative d'union des Eglises. Mort de saint Thomas et de saint Bonaventure.
Grandes Chroniques de Saint-Denis.

1275. Vers cette date, on brûle des sorcières à Toulouse. Seconde partie du *Roman de la Rose,* de Jean de Meun ; *Speculum judiciale,* encyclopédie juridique, de G. Durand, et *Chirurgia* de Guillaume de Saliceto de Bologne ; de Raymond Lulle *le Livre de Contemplation* et *le Livre du Gentil et des trois sages.*

1276. Les Mongols dominent la Chine.
Raymond Lulle fonde un collège pour apprendre l'arabe aux missionnaires, et écrit *l'Art de démonstration.* Adam de la Halle, *le Jeu de la Feuillée.*

1277. Les doctrines thomistes et averroïstes sont condam-

nées par l'évêque de Paris, Etienne Tempier, ainsi que l'*Art d'aimer* d'André le Chapelain.
Rutebeuf, *Nouvelle Complainte d'outremer*. *Tabula exemplorum secundum ordinem alphabeti*.

1278. Disgrâce et pendaison de Pierre de la Brosse ; de là des poèmes sur la toute-puissance de Fortune.

1279. Construction d'un observatoire à Pékin.
A cette époque, activité d'Albert le Grand. *Somme le Roi*, de frère Laurent, encyclopédie morale.

1280. Un peu partout, à Bruges, Douai, Tournai, Provins, Rouen, Béziers, Caen, Orléans, des grèves et des émeutes urbaines. L'échevin de Douai, Jean Boinebroke, réprime la grève des tisserands.
Achèvement de Saint-Denis. *Flamenca*, roman en langue d'oc. Diffusion du *Zohar*, somme de la cabale théosophique, et des *Carmina burana*, anthologie des poèmes écrits en latin aux XIIe et XIIIe siècles par les Goliards. De Raymond Lulle, *le Livre de l'Ordre de Chevalerie*. Girard d'Amiens, *Escanor*.

1282. Les Vêpres siciliennes chassent les Français de Sicile ; les Aragonais les remplacent. Andronic II, empereur de Constantinople.
Cathédrale d'Albi.

1283. Les Chevaliers Teutoniques achèvent la conquête de la Prusse.
Philippe de Beaumanoir, les *Coutumes du Beauvaisis*. De 1275 à 1283, Lulle compose à Montpellier *le Livre d'Evast et de Blanquerne*.

1284. Croisade d'Aragon. Les foires de Champagne passent sous le contrôle du roi de France. Effondrement des voûtes de la cathédrale de Beauvais.

1285. Philippe le Bel devient roi. Edouard Ier soumet le pays de Galles.
La victime d'une épidémie est disséquée à Crémone.
La Châtelaine de Vergy. *Madame Rucellai*, de Duccio à Sienne (préciosité).

1288. Les artisans se révoltent à Toulouse. Cologne devient ville libre en se libérant de la domination de son archevêque.
Départ pour la Chine du frère franciscain Jean de Montecorvino. Début de la construction du palais communal de Sienne.

De Raymond Lulle, *le Livre des Merveilles*, qui comporte *le Livre des bêtes.*

1289. Lulle refond à Montpellier *l'Art de démonstration*, écrit *l'Art de philosophie désiré, l'Art d'aimer le bien. Renart le Nouvel*, de Jacquemart Gielée.

1290. Edouard Ier expulse les Juifs d'Angleterre. Le rouet apparaît. L'Angleterre exporte 30 000 sacs de laine. A Amiens, *la Vierge dorée*. Duns Scot écrit ses œuvres. *Roman du Châtelain de Coucy*. Concours poétique de Rodez avec Guiraut Riquier. Raymond Lulle, *le Livre de Notre-Dame*. Drouart la Vache, *le Livre d'Amours*.

1291. Naissance de la confédération helvétique. Chute de Saint-Jean d'Acre : fin de la Syrie franque.
Début de la construction de la cathédrale d'York.

1292. Paris compte 130 métiers organisés. Raymond Lulle tertiaire franciscain.

1294. Guerre franco-anglaise pour la Guyenne. Philippe le Bel dévalue la monnaie. Election du pape Boniface VIII. Début de la construction de Santa Croce à Florence.

1295. Edouard Ier appelle des représentants de la bourgeoisie au Parlement anglais.
Vita nuova de Dante. Mort de Guiraut Riquier. Raymond Lulle, *l'Art de Science*.

1296-1304. Giotto peint, à Assise, *la Vie de saint François d'Assise*.

1297. Edouard Ier reconnaît les prérogatives financières du Parlement anglais. L'aristocratie de Venise n'admet plus en son sein les hommes nouveaux.

1298. Liaisons régulières par mer entre Gênes, la Flandre et l'Angleterre.

1298-1301. Marco Polo, *le Livre des Merveilles*, encyclopédie de l'Asie. Lulle à Paris (*Arbre de Philosophie d'Amour*), puis à Majorque et à Chypre.

1300. Il est certain qu'à cette date on porte des lunettes. La lettre de change se répand en Italie. A cette époque, cesse le commerce des esclaves, sauf en Espagne.
Lamentationes Mattheoli. Eckhart le mystique à Cologne. Nicole Bozon, *Contes moralisés*.

TABLE

LE JEU DE LA FEUILLÉE

TITRES RÉCEMMENT PARUS

AGEE
La Veillée du matin (508)

AMADO (JORGE)
Mar morto (388)

ARIOSTE
Roland furieux. Textes choisis et présentés par Italo CALVINO (380)

ASTURIAS
Monsieur le Président (455)

BALZAC
La Vieille Fille. Le Cabinet des Antiques (481). Ferragus. La Fille aux yeux d'or (458). Les Chouans (459). La Duchesse de Langeais (457)

BARRÈS
Le Jardin de Bérénice (494)

BAUDELAIRE
Le Spleen de Paris. La Fanfarlo (478).

BRONTË (EMILY)
Hurlevent-des-Monts (Wuthering Heights) (411)

CARROLL (LEWIS)
Tout Alice (523)

CARRINGTON
Le Cornet acoustique (397)

CHEDID
Nefertiti (516)

***
Code civil (Le). Textes antérieurs et version actuelle. Éd. J. Veil (318)

CONSTANT
De l'Esprit de conquête et de l'Usurpation (456)

DAUDET
Contes du Lundi (308)

DESCARTES
Méditations métaphysiques (328). Correspondance avec Elisabeth et autres lettres (513)

DICTIONNAIRE ANGLAIS-FRANÇAIS/ FRANÇAIS-ANGLAIS OXFORD (485)

DICKENS
David Copperfield 1 (310) - 2 (311)
L'Encyclopédie 1 (426) - 2 (448)

***
La Farce de Maître Pierre Pathelin (texte original et traduction en français moderne) (462)

***
Farces du Moyen Âge (412)

FAULKNER
Monnaie de singe (450)

FLAUBERT
L'Éducation sentimentale (432). Trois Contes (452). Madame Bovary (464)

***
La Genèse (traduction de *La Bible de Jérusalem*) (473)

FROMENTIN
Dominique (479)

GENEVOIX
La Dernière Harde (519)

HARDY
A la lumière des étoiles (447)

HAWTHORNE
La Lettre écarlate (382)

HOBBES
Le Citoyen (De Cive) (385)

HÖLDERLIN
Hymnes-Élégies (352)

HUGO
Les Burgraves (437). L'Art d'être grand-père (438)

HUME
Enquête sur l'entendement humain (343)

JAMES
Les Deux Visages (442)

KADARÉ
Le Pont aux trois arches (425)

KAFKA
Le Procès (400). Le Château (428). Amerika ou le Disparu (501). La Métamorphose. Description d'un combat (510)

LABÉ (LOUISE)
Œuvres complètes : Sonnets. Élégies. Débat de Folie et d'Amour (413)

LA BOÉTIE
Discours de la servitude volontaire (394)

LAGERKVIST
Âmes masquées. La Noce (424)

***
Lettres portugaises. Lettres d'une Péruvienne et autres romans d'amour par lettres (379)

LOCKE
Traité du gouvernement civil (408)

LOTI
Le Roman d'un enfant (509)

***
Le Mahabharata 1 (433). 2 (434)

MANN
Mario et le magicien (403)

MAUPASSANT
Le Horla et autres contes d'angoisse (409). Apparition et autres contes d'angoisse (417)

MAURIAC
Un adolescent d'autrefois (387). L'Agneau (431)

MORAND
Hécate et ses chiens (410). New York (498)

MORAVIA
Nouvelles romaines (389). Agostino (396) Le Conformiste (415). L'Ennui (451)

MORE (THOMAS)
L'Utopie (460)

MUSSET
Lorenzaccio, On ne badine pas avec l'amour et autres pièces (486)

NIETZSCHE
Le Crépuscule des idoles (421) Seconde considération intempestive (483)

PASCAL
De l'Esprit géométrique. Écrits sur la grâce et autres textes (436)

PLATON
Lettres (466). Gorgias (465). Euthydème (492). Phèdre (488). Ion (529)

PROUST
Du côté de chez Swann (475). A l'ombre des jeunes filles en fleurs (T1 : 468, T2 : 469). Le Côté de Guermantes (T1 : 470, T2 : 471). Sodome et Gomorrhe (T1 : 476, T2 : 477). La Prisonnière (376). La Fugitive (446). Le Temps retrouvé (449)

RADIGUET
Le Bal du comte d'Orgel (406). Le Diable au corps (444)

RUTEBEUF
Le Miracle de Théophile (texte original et traduction en français moderne) (467)

SAINT PAUL
L'Épître aux Romains. L'Épître aux Galates (traduction de *La Bible de Jérusalem*) (472)

SCIASCIA
Les Poignardeurs La Disparition de Majorana (427). Le Jour de la chouette (461)

SEGALEN
Le Fils du Ciel (377)

TCHEKHOV
La Cerisaie (482)

TOCQUEVILLE
De la Démocratie en Amérique 1 (353) - 2 (354). L'Ancien Régime et la Révolution (500)

TOLSTOÏ
Anna Karénine (495 et 496)

VESAAS
Palais de glace (423)

VILLIERS DE L'ISLE-ADAM
Contes cruels (340). Claire Lenoir et autres récits insolites (401)

WHARTON
La Récompense d'une mère (454) Le Temps de l'innocence (474)

WELTY
L'homme pétrifié (507)

WOOLF (Virginia)
La Traversée des apparences (435)

GF GRAND-FORMAT

CHATEAUBRIAND
Mémoires d'Outre-Tombe Préface de Julien Gracq (4 vol.)

FORT
Ballades françaises

GRIMM
Les Contes (2 vol)

GUTH
Histoire de la littérature française (2 vol)

HUGO
Poèmes choisis et présentés par Jean Gaudon

LAS CASES
Le Mémorial de Sainte-Hélène (2 vol)

MAURIAC
Mémoires intérieurs et Nouveaux Mémoires intérieurs

Vous trouverez chez votre libraire le catalogue complet de notre collection

GF — TEXTE INTÉGRAL — GF

5027-VIII-1989. — Imp. Bussière, Saint-Amand (Cher).
N° d'édition 12168. — Septembre 1989. — Printed in France.